Sommaire

GUIDE PRATIQUE
des travaux de votre aménagement paysager

GUIDE PRATIQUE DE VOS TRAVAUX D'AMÉNAGEMENT PAYSAGER
ÉDITEUR:
Spécialités Terre à Terre inc.
RÉDACTION:
AUTEURS: Bertrand Dumont, Daniel Lefebvre, Michel Rousseau, Jacques Bernatchez et François Bernatchez
DESSINS: L'équipe de Rousseau Lefebvre
PHOTOS: *Fleurs, Plantes et Jardins*
CORRECTEURS: H. Veilleux et R. Deland

PRODUCTION:
MISE EN PAGES : Volets Bleus enr. et Éclipse Communications enr.
SÉPARATION DE COULEURS: Graphiscan Info-Couleur
PELLICULAGE: Graphiscan Info-Couleur
IMPRESSION: Imprimerie Canada inc.
ADMINISTRATION:
DIRECTRICE ADMINISTRATIVE:
Lise Deschamps

Toute reproduction des textes, illustrations et photographies de la revue est interdite. Bien que toutes les précautions aient été prises pour assurer la véracité des informations contenues dans cette publication, il est entendu que les Spécialités Terre à Terre inc. ne peuvent être tenues responsables des erreurs issues de leur utilisation.

Les articles qui paraissent dans cette publication sont publiés sous la responsabilité exclusive de leurs auteurs.

DÉPOT LÉGAL:
Bibliothèque nationale du Québec
Bibliothèque nationale du Canada
ISBN 2-921850-19-2

BUREAU DE RÉDACTION:
HORTI MÉDIA, 6538, rue de Lanaudière, Montréal (Qc) H2G 3A9
SIÈGE SOCIAL:
SPÉCIALITÉS TERRE À TERRE INC.
1320, boulevard Saint-Joseph Québec (Qc) G2K 1G2
Tél.: (418) 628-8690, Télec.: (418) 628-0524

Stationnement en pavés de béton

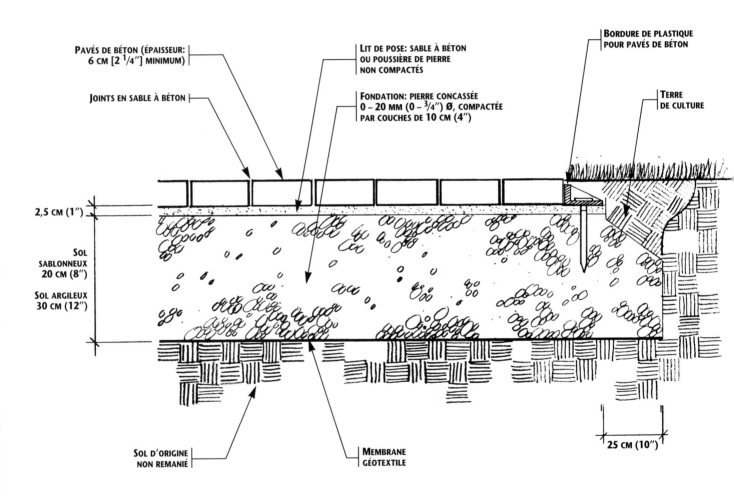

PAVÉS DE BÉTON (ÉPAISSEUR: 6 CM [2 ¼"] MINIMUM)

JOINTS EN SABLE À BÉTON

LIT DE POSE: SABLE À BÉTON OU POUSSIÈRE DE PIERRE NON COMPACTÉS

FONDATION: PIERRE CONCASSÉE 0 – 20 MM (0 – ¾") Ø, COMPACTÉE PAR COUCHES DE 10 CM (4")

BORDURE DE PLASTIQUE POUR PAVÉS DE BÉTON

TERRE DE CULTURE

2,5 CM (1")

SOL SABLONNEUX 20 CM (8")

SOL ARGILEUX 30 CM (12")

SOL D'ORIGINE NON REMANIÉ

MEMBRANE GÉOTEXTILE

25 CM (10")

Note: pour des sols ayant montré des mouvements anormaux, il est recommandé de consulter un professionnel en géotechnique.

DÉTAIL DE CONSTRUCTION

Comment faire ?

1. À l'aide de piquets et d'une corde, d'un boyau d'arrosage ou de peinture en aérosol, délimitez la forme du stationnement sur le sol. Prévoyez 30 cm (12") de plus en largeur que la dimension finale pour recevoir la bordure. Choisissez si possible une largeur qui évite les découpes.

2. Excavez la terre sur une profondeur de 30 cm (12") dans un sol sablonneux, et de 40 cm (16") dans un sol argileux. À la fin de l'excavation, le sol doit avoir la même pente que la pente finale du pavé de béton (minimum 2 %).

3. Installez la membrane géotextile sur le sol.

4. Placez des piquets, légèrement à l'intérieur de la surface à aménager. Installez-les tous les 3 m (10'). Tendez une corde. Placez-la, à l'aide du niveau de corde, au même niveau qu'à celui où sera le pavé une fois celui-ci posé.

5. Installez 10 cm (4") de pierre concassée 0-20 mm (0-^{3}/4") Ø et compactez à l'aide d'une plaque vibrante.

6. Recommencez cette opération jusqu'à ce que vous ayez obtenu vos 20 cm (8") de fondation dans un sol sablonneux ou vos 30 cm (12") dans un sol argileux.

7. Étendez la poussière de pierre ou le sable à béton sur environ 2,5 cm (1") et préparez le niveau final. C'est à cette étape que le niveau est ajusté, les pavés de béton étant d'épaisseur égale. Aidez-vous avec les cordes que vous avez installées précédemment. Un lit de pose qui n'est pas au bon niveau donne une surface en pavés de béton qui, elle non plus, n'est pas au bon niveau. Le lit de pose peut être réalisé en couchant parallèlement, sur la fondation, au même niveau que le lit de pose, deux tuteurs de métal à environ 1,80 m (6') de distance. Après remplissage de l'espace ainsi créé, le surplus de poussière de pierre est enlevé en faisant glisser une planche de bois bien droite entre les deux tuteurs. Les tuteurs sont déplacés au fur et à mesure que vous avancez votre pose.

8. Posez les pavés de béton. Commencez la pose près de la résidence et continuez en allant vers la rue.

9. À l'aide de la scie à béton, découpez les pavés, si nécessaire.

10. Installez la bordure de plastique (voir la rubrique «Bordure de plastique pour pavés»).

11. Étendez du sable à béton sur les pavés et, à l'aide d'un balai, remplissez les joints. Pour que les joints soient bien remplis, il faut balayer plusieurs fois à la même place.

12. Passez la plaque vibrante sur les pavés. Étendez à nouveau du sable, balayez et passez une autre fois la plaque vibrante. Répétez cette opération jusqu'à ce que les joints soient pleins.

13. Ajoutez de la terre de culture de chaque côté du stationnement et faites les réparations à l'aide du gazon en plaques.

Ce qu'il vous faut ?

Quels matériaux ?

- Sable à béton
- Pavés de béton
- Poussière de pierre
- Pierre concassée 0-20 mm (0-^{3}/4") Ø
- Bordure de plastique pour pavés de béton
- Membrane géotextile
- Terre de culture
- Gazon en plaques

Quels outils ?

- Pioche
- Pelle
- Râteau
- Balai
- Corde
- Niveau de corde
- Niveau à bulle
- Tuteurs de métal
- Planche de bois bien droite
- Lunettes de protection
- Boyau d'arrosage ou peinture en aérosol
- Piquets de bois
- Mètre à ruban
- Marteau

Quel équipement ?

- Excavatrice ou mini-excavatrice, et camion pour les travaux de grande envergure
- Plaque vibrante
- Scie à béton avec une lame au carbure ou à diamant
- Brouette

Trucs et conseils

Pour éviter toute dissonance esthétique, harmonisez les couleurs du pavé avec celles de la maison. Toutefois, cela ne veut pas dire qu'il faille utiliser exactement les mêmes couleurs. Il faut plutôt rechercher des couleurs qui s'harmonisent à celle du revêtement ou encore qui soient neutres (comme le gris par exemple).

Au moment de la pose, assurez-vous que le pavé a une pente d'au moins 2 %. Cela signifie que la pente est de 2,5 cm (1") de dénivellation pour 125 cm (4') de longueur. C'est dire que pour un stationnement de 6,25 m (20') la dénivelée est de 12,5 cm (5"). Cependant, la pente naturelle est souvent plus forte car les fondations de la maison sont plus hautes que la rue. La logique veut que l'on raccorde le seuil du garage au niveau existant de la rue.

Bien plus que la profondeur de la fondation, c'est la compaction qui est importante. En effet, il vaut mieux creuser un peu moins plutôt que de ne pas compacter. Pour une meilleure compaction, diminuez la hauteur de la couche compactée à chaque passage. Par exemple, si votre plaque vibrante ne vous semble pas compacter beaucoup, installez des couches de 5 cm (2") de pierre concassée 0-20 mm (0-^{3}/4") Ø et compactez-les. En fait, il est inutile de doubler la profondeur de la fondation si, par ailleurs, la compaction est négligée.

Stationnement en gravier

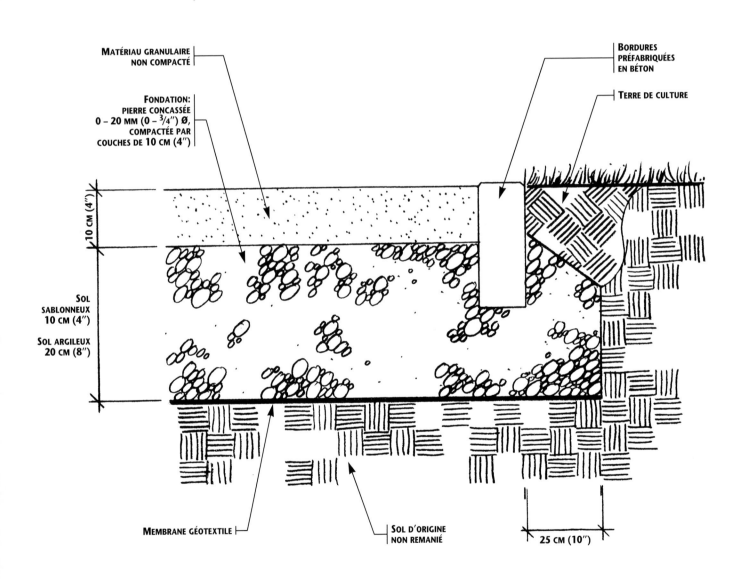

MATÉRIAU GRANULAIRE
NON COMPACTÉ

FONDATION:
PIERRE CONCASSÉE
0 – 20 MM (0 – 3/4") Ø,
COMPACTÉE PAR
COUCHES DE 10 CM (4")

BORDURES
PRÉFABRIQUÉES
EN BÉTON

TERRE DE CULTURE

10 CM (4")

SOL
SABLONNEUX
10 CM (4")

SOL ARGILEUX
20 CM (8")

MEMBRANE GÉOTEXTILE

SOL D'ORIGINE
NON REMANIÉ

25 CM (10")

DÉTAIL DE CONSTRUCTION

Comment faire?

1. À l'aide de piquets et d'une corde, d'un boyau d'arrosage ou de peinture en aérosol, délimitez la forme du stationnement sur le sol. Prévoyez 30 cm (12") de plus en largeur que la dimension finale pour recevoir la bordure.

2. Excavez la terre sur une profondeur de 20 cm (8") dans un sol sablonneux, et de 30 cm (12") dans un sol argileux. À la fin de l'excavation, le sol doit avoir la même pente que la pente finale (minimum 4 %).

3. Installez la membrane géotextile sur le sol.

4. Placez des piquets, légèrement à l'intérieur de la surface à aménager. Installez-les tous les 3 m (10'). Tendez une corde. Placez-la, à l'aide du niveau de corde, au même niveau qu'à celui où sera le matériau granulaire une fois celui-ci posé.

5. Installez 7,5 cm (3") de pierre concassée 0-20 mm (0-3/4") Ø et compactez à l'aide d'une plaque vibrante.

6. Installez les bordures en béton qui permettent de retenir le matériau granulaire (voir la rubrique «Bordure préfabriquée en béton pour pavés»). Toutefois dans le cas d'un stationnement en gravier, les bordures doivent être légèrement plus haute (0,65 à 1,25 cm [1/4 à 1/2"]) que le niveau final du matériau granulaire.

7. Recommencez l'installation de la pierre concassée jusqu'à ce que vous ayez obtenu vos 10 cm (4") de fondation dans un sol sablonneux, ou vos 20 cm (8") dans un sol argileux. Prenez soin de ne pas déplacer les bordures.

8. Étendez le matériau granulaire sur environ 10 cm (4") et préparez le niveau final. Pour ce faire, aidez-vous des cordes que vous avez installées précédemment. Compactez en arrosant abondamment (sans la plaque vibrante).

9. Ajoutez de la terre de culture de chaque côté du stationnement et faites les réparations à l'aide du gazon en plaques.

Ce qu'il vous faut?

Quels matériaux?

- Matériau granulaire (Ex.: 20 mm [3/4"] net Ø)
- Pierre concassée 0-20 mm (0-3/4") Ø
- Membrane géotextile
- Bordure préfabriquée en béton
- Terre de culture
- Gazon en plaques

Quels outils?

- Pioche
- Pelle
- Râteau
- Balai
- Corde
- Niveau de corde
- Niveau à bulle
- Boyau d'arrosage ou peinture en aérosol
- Piquets de bois
- Mètre à ruban
- Marteau

Quel équipement?

- Excavatrice ou mini-excavatrice, et camion pour les travaux de grande envergure
- Plaque vibrante
- Scie à béton avec une lame au carbure ou à diamant (pour les bordures)
- Brouette

Trucs et conseils

Ce type de construction a l'avantage de ne pas être coûteux. Bien réalisé, un tel stationnement d'automobile peut durer de nombreuses années. De plus, dans un environnement plus naturel, un aménagement comme celui-là s'intègre plus facilement.

Les matériaux granulaires servant à la finition du stationnement sont nombreux. Vous pouvez utiliser, en effet, de la pierre nette 20 mm (3/4") Ø ou de la pierre nette 15 mm (1/2") Ø. Si votre budget vous le permet, vous pouvez aussi utiliser de la pierre décorative de petite granulation. Plusieurs spécialistes en vendent au camion. Cependant, il faut éviter la pierre de trop petite granulation qui colle aux chaussures et qui salit alors l'intérieur de la maison.

Vous pouvez aussi envisager un tel aménagement pour quelques années si vous n'avez pas les moyens d'installer de l'asphalte. Il faut alors que vous choisissiez de la poussière de pierre comme matériau de finition. Au moment de faire place à l'asphalte, vous pouvez alors en enlever une petite couche.

Lors du déneigement, il arrive souvent qu'une petite partie de pierre concassée soit enlevée. Il faut donc prévoir d'en rajouter tous les deux ou trois ans. Si vous choisissez un matériau granulaire décoratif, vous avez intérêt à prévoir une petite réserve.

Bordure de plastique pour pavés

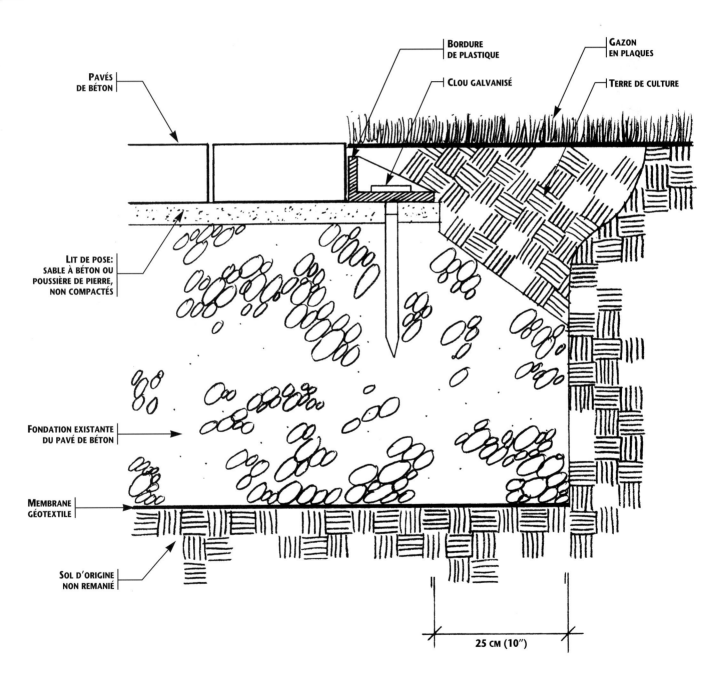

PAVÉS DE BÉTON

BORDURE DE PLASTIQUE

CLOU GALVANISÉ

GAZON EN PLAQUES

TERRE DE CULTURE

LIT DE POSE: SABLE À BÉTON OU POUSSIÈRE DE PIERRE, NON COMPACTÉS

FONDATION EXISTANTE DU PAVÉ DE BÉTON

MEMBRANE GÉOTEXTILE

SOL D'ORIGINE NON REMANIÉ

25 CM (10")

DÉTAIL DE CONSTRUCTION

Comment faire?

1. Lors de la mise en place de la fondation du stationnement en pavés de béton, prévoyez une surface pour asseoir la bordure. Installez la pierre concassée 0-20 mm (0-3/4") Ø et la poussière de pierre comme si vous installiez du pavé.

2. Posez et découpez les pavés (voir la rubrique «Stationnement en pavés de béton»).

3. Placez la bordure de plastique le plus près possible des pavés extérieurs et enfoncez-y les clous prévus à cet effet. Assurez-vous que, une fois la bordure posée, celle-ci «bloque le pavé».

4. Étendez du sable à béton sur les pavés et, à l'aide d'un balai, remplissez les joints. Pour que les joints soient bien remplis, il faut balayer plusieurs fois à la même place.

5. Passez la plaque vibrante sur les pavés. Étendez à nouveau du sable, balayez et passez une autre fois la plaque vibrante.

6. Ajoutez de la terre de culture de chaque côté du stationnement et faites les réparations à l'aide du gazon en plaques.

Ce qu'il vous faut?

Quels matériaux?

- Bordure de plastique
- Clou galvanisé
- Gazon en plaques
- Terre de culture

Quels outils?

- Pioche
- Pelle
- Râteau
- Balai
- Marteau
- Petite masse
- Lunettes de protection
- Mètre à ruban

Quel équipement?

- Brouette

Trucs et conseils

Pendant longtemps, il a été conseillé d'installer des bordures en béton le long des stationnements d'automobiles. L'arrivée des bordures de plastique pour pavés a permis de faciliter cette tâche. De plus, comme les bordures sont dans le sol, elles sont efficaces sans être inesthétiques.

Pour diminuer l'aspect rigide d'un stationnement en pavés, vous pouvez planter en bordure des plantes rampantes. Au fur et à mesure qu'elles grandissent, elles envahissent graduellement le pavé. Ainsi, celui-ci s'intègre mieux au reste de l'aménagement. Pour réaliser de telles plantations, il faut choisir des plantes couvre-sol qui peuvent être légèrement piétinées et qui résistent bien à la sécheresse. Les différents thyms sont de bons exemples.

Les pavés de béton qui ont une forme en zigzag, ou qui s'imbriquent les uns dans les autres, sont dits autobloquants. Dépendant du nombre de passages sur le stationnement, une bordure est facultative. Cependant, pour les pavés non autobloquants (comme ceux qui sont carrés, rectangulaires ou aux bords légèrement arrondis) la pose d'une bordure est impérative. Il faut savoir que, dans tous les cas, la bordure de plastique pour pavés permet de maintenir votre investissement à plus long terme.

Bordure préfabriquée en béton pour pavés

PAVÉS
DE BÉTON

BORDURES PRÉFABRIQUÉES
EN BÉTON

TERRE
DE CULTURE

LIT DE POSE:
SABLE À BÉTON OU
POUSSIÈRE DE PIERRE,
NON COMPACTÉS

FONDATION:
PIERRE CONCASSÉE
0 – 20 MM (0 – $^3/_4$'') Ø,
COMPACTÉE PAR COUCHES
DE 10 CM (4'')

MEMBRANE
GÉOTEXTILE

SOL D'ORIGINE
NON REMANIÉ

25 CM (10'')

DÉTAIL DE CONSTRUCTION

Comment faire ?

1. Lors de la mise en place de la fondation du stationnement en pavés de béton, prévoyez une surface pour asseoir la bordure. Installez la pierre concassée 0-20 mm (0-$\frac{3}{4}$") Ø jusqu'à ce que vous soyez arrivé à la hauteur désirée.

2. Dans l'axe de la bordure, au coin extérieur, placez une corde au niveau final de la bordure.

3. Installez les bordures en prenant soin de les stabiliser de chaque côté. Commencez en partant de la rue et en remontant vers la résidence. À cause de l'hiver, la bordure qui est proche de la rue doit être la plus stable possible. Un petit morceau (il faut parfois couper la bordure) est moins stable. Certains modèles de bordures préfabriquées en béton sont munis d'un embout mâle et d'un emboîtement femelle. Il est souvent nécessaire d'ajuster ceux-ci à l'aide d'un marteau et d'un ciseau à froid avant l'installation finale.

4. Si cela est nécessaire, découpez la bordure à l'aide d'une scie à béton.

5. Finissez la compaction, la mise en place du lit de pose et l'installation du pavé (voir la rubrique «Stationnement en pavés de béton»).

6. Au moment de la découpe des pavés, prenez les mesures avec précision pour éviter de les poser en forçant.

7. Quand vous remplissez les joints et que vous passez la plaque vibrante sur les pavés, faites attention à ne pas déplacer la bordure.

8. Ajoutez de la terre de culture le long de la bordure et faites les réparations à l'aide du gazon en plaques.

Ce qu'il vous faut ?

Quels matériaux ?

- Bordure préfabriquée en béton
- Pierre concassée 0-20 mm (0-$\frac{3}{4}$") Ø
- Terre de culture
- Gazon en plaques

Quels outils ?

- Pioche
- Pelle
- Râteau
- Balai
- Corde
- Niveau de corde
- Niveau à bulle
- Marteau
- Ciseau à froid
- Lunettes de protection
- Mètre à ruban

Quel équipement ?

- Scie à béton avec lame au carbure ou à diamant
- Brouette

Trucs et conseils

Pour éviter les problèmes au cours de l'hiver avec le déneigement, il faut que votre bordure soit exactement au même niveau que le pavé. Il est même recommandé de la mettre quelques millimètres plus bas, au cas où il y aurait des mouvements de sol.

Il est conseillé de faire concorder les couleurs du pavé et de la bordure. En fait, il faut éviter de les faire contraster; cela a pour effet de mettre en valeur le stationnement, ce qui n'est pas forcément une bonne idée.

Dans le cas où votre stationnement en pavés de béton est existant, il vous est possible d'installer une bordure préfabriquée en béton. Il faut alors que vous enleviez les pavés de béton sur 30 à 45 cm (12 à 18") puis que vous installiez la bordure comme indiqué à la rubrique «Comment faire?». Cependant, il faut que vous fassiez bien attention à laisser suffisamment d'espace pour réinstaller le pavé. De mauvaises prises de mesures vous obligeraient à découper le pavé, ce qui est long et fastidieux.

Sentier
en pavés
de béton

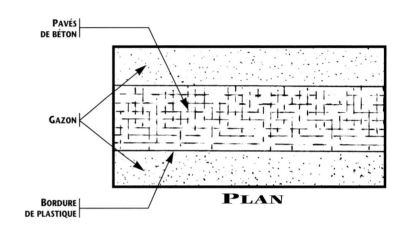

PAVÉS
DE BÉTON

GAZON

BORDURE
DE PLASTIQUE

PLAN

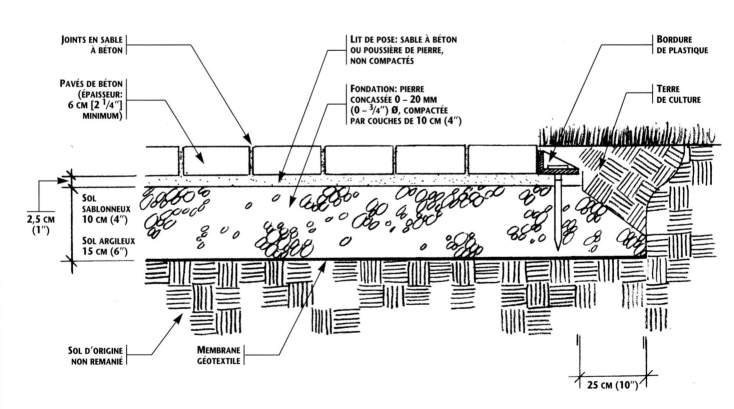

JOINTS EN SABLE
À BÉTON

PAVÉS DE BÉTON
(ÉPAISSEUR:
6 CM [2 1/4"]
MINIMUM)

2,5 CM
(1")

SOL
SABLONNEUX
10 CM (4")

SOL ARGILEUX
15 CM (6")

SOL D'ORIGINE
NON REMANIÉ

MEMBRANE
GÉOTEXTILE

LIT DE POSE: SABLE À BÉTON
OU POUSSIÈRE DE PIERRE,
NON COMPACTÉS

FONDATION: PIERRE
CONCASSÉE 0 – 20 MM
(0 – 3/4") Ø, COMPACTÉE
PAR COUCHES DE 10 CM (4")

BORDURE
DE PLASTIQUE

TERRE
DE CULTURE

25 CM (10")

DÉTAIL DE CONSTRUCTION

Comment faire?

1. À l'aide de piquets et d'une corde, d'un boyau d'arrosage ou de peinture en aérosol, délimitez la forme du sentier sur le sol. Prévoyez 30 cm (12") de plus en largeur que la dimension finale pour recevoir la bordure. Choisissez si possible une largeur qui évite les découpes.

2. Excavez la terre sur une profondeur de 20 cm (8") dans un sol sablonneux, et de 25 cm (10") dans un sol argileux. À la fin de l'excavation, le sol doit avoir la même pente que la pente finale du pavé de béton (minimum 2%).

3. Installez la membrane géotextile sur le sol.

4. Placez des piquets, légèrement à l'intérieur de la surface à aménager. Installez-les tous les 3 m (10'). Tendez une corde. Placez-la au même niveau qu'à celui où sera le pavé une fois celui-ci posé.

5. Installez 10 cm (4") de pierre concassée 0-20 mm (0-$\frac{3}{4}$") Ø et compactez à l'aide d'une plaque vibrante.

6. Ajoutez de la pierre concassée et compactez jusqu'à ce que vous ayez obtenu une fondation de 10 cm (4") de haut dans un sol sablonneux et de 15 cm (6") dans un sol argileux.

7. Étendez la poussière de pierre ou le sable à béton sur environ 2,5 cm (1") et préparez le niveau final. C'est à cette étape que le niveau est ajusté, les pavés de béton étant d'épaisseur égale. Aidez-vous avec les cordes que vous avez installées précédemment. Un lit de pose qui n'est pas au bon niveau donne une surface en pavés de béton qui, elle non plus, n'est pas au bon niveau. Le lit de pose peut être réalisé en couchant parallèlement, sur la fondation, au même niveau que le lit de pose, deux tuteurs de métal à environ 1,80 m (6') de distance. Après remplissage de l'espace ainsi créé, le surplus de poussière de pierre est enlevé en faisant glisser une planche de bois bien droite entre les deux tuteurs. Les tuteurs sont déplacés au fur et à mesure que vous avancez votre pose.

8. Posez les pavés de béton. Commencez à une extrémité pour finir à l'autre, ou vous ferez les découpes.

9. À l'aide de la scie à béton, découpez les pavés, si nécessaire.

10. Installez la bordure de plastique (voir la rubrique «Bordure de plastique pour pavés»).

11. Étendez du sable à béton sur les pavés et, à l'aide d'un balai, remplissez les joints. Pour que les joints soient bien remplis, il faut balayer plusieurs fois à la même place.

12. Passez la plaque vibrante sur les pavés. Étendez à nouveau du sable, balayez et passez une autre fois la plaque vibrante.

13. Ajoutez de la terre de culture de chaque côté du stationnement et installez du gazon en plaques ou faites des plantations.

Ce qu'il vous faut?

Quels matériaux?

- Pavés de béton
- Poussière de pierre
- Sable à béton
- Pierre concassée 0-20 mm (0-$\frac{3}{4}$") Ø
- Bordure de plastique
- Membrane géotextile
- Terre de culture
- Gazon en plaques ou végétaux

Quels outils?

- Pioche
- Pelle
- Râteau
- Balai
- Tuteurs de métal
- Planche de bois
- Corde
- Niveau de corde
- Niveau à bulle
- Lunettes de protection
- Boyau d'arrosage ou peinture en aérosol
- Piquets de bois
- Mètre à ruban
- Marteau

Quel équipement?

- Excavatrice ou mini-excavatrice, et camion pour les travaux de grande envergure
- Plaque vibrante
- Scie à béton avec une lame au carbure ou à diamant
- Brouette

Trucs et conseils

Avant de mettre en place un sentier, assurez-vous que celui-ci sera bien utilisé. En effet, il arrive souvent qu'un sentier soit mis en place pour des raisons esthétiques plutôt que pratiques. Au bout de quelque temps, les utilisateurs délaissent le sentier et créent leurs propres passages (souvent sur la pelouse). Le choix de l'endroit où passe le sentier est donc primordial.

Pour être utile et efficace, une allée doit desservir des points importants. Par exemple, l'avant et l'arrière de la maison, le patio et le cabanon, etc. Toutefois une trop grande multiplication des allées risque de morceler le terrain. Il faut donc choisir les destinations importantes à desservir et trouver une autre solution (des pas japonais par exemple) pour les autres.

La largeur de votre allée doit tenir compte de la grandeur du terrain. Plus celui-ci est petit, plus l'allée doit être étroite. Un sentier de 70 cm (2' 3") accueille une seule personne en largeur. Une allée de 1,20 à 1,50 m (4 à 5') de largeur permet à deux personnes de se promener de front, ou de se croiser.

Sentier en dalles de béton et pierre décorative

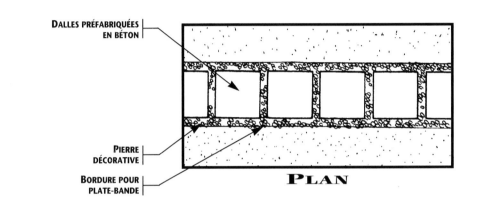

DALLES PRÉFABRIQUÉES EN BÉTON

PIERRE DÉCORATIVE

BORDURE POUR PLATE-BANDE

PLAN

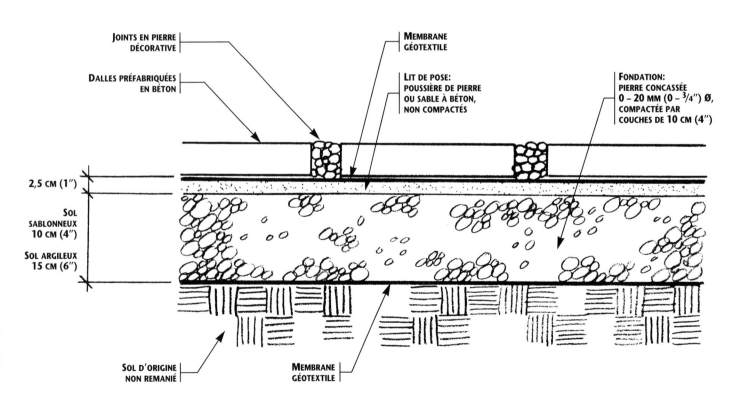

JOINTS EN PIERRE DÉCORATIVE

MEMBRANE GÉOTEXTILE

DALLES PRÉFABRIQUÉES EN BÉTON

LIT DE POSE: POUSSIÈRE DE PIERRE OU SABLE À BÉTON, NON COMPACTÉS

FONDATION: PIERRE CONCASSÉE 0 – 20 MM (0 – 3/4") Ø, COMPACTÉE PAR COUCHES DE 10 CM (4")

2,5 CM (1")

SOL SABLONNEUX 10 CM (4")

SOL ARGILEUX 15 CM (6")

SOL D'ORIGINE NON REMANIÉ

MEMBRANE GÉOTEXTILE

DÉTAIL DE CONSTRUCTION

Comment faire?

1. À l'aide de piquets et d'une corde, d'un boyau d'arrosage ou de peinture en aérosol, délimitez la forme du sentier sur le sol. Prévoyez 15 cm (6") de plus en largeur que la dimension finale pour recevoir la bordure.

2. Excavez la terre sur une profondeur de 20 cm (8") dans un sol sablonneux, et de 25 cm (10") dans un sol argileux. À la fin de l'excavation, le sol doit avoir la même pente que la pente finale des dalles (minimum 2 %).

3. Installez la membrane géotextile sur le sol.

4. Placez des piquets, légèrement à l'intérieur de la surface à aménager. Installez-les tous les 3 m (10'). Tendez une corde. Placez-la, grâce au niveau de corde, au même niveau qu'à celui où seront les dalles une fois celles-ci posées.

5. Installez 10 cm (4") de pierre concassée 0-20 mm (0-$\frac{3}{4}$") Ø et compactez à l'aide d'une plaque vibrante.

6. Ajoutez de la pierre concassée et compactez jusqu'à ce que vous ayez obtenu une fondation de 10 cm (4") de haut dans un sol sablonneux et de 15 cm (6") dans un sol argileux.

7. Installez la bordure de plate-bande comme indiqué à la rubrique «Bordure pour plate-bande».

8. Étendez la poussière de pierre ou le sable à béton sur environ 2,5 cm (1") et préparez le niveau final. C'est à cette étape que le niveau est ajusté, les pavés de béton étant d'épaisseur égale. Aidez-vous avec les cordes que vous avez installées précédemment. Un lit de pose qui n'est pas au bon niveau donne une surface en pavés de béton qui, elle non plus, n'est pas au bon niveau. Le lit de pose peut être réalisé en couchant parallèlement, sur la fondation, au même niveau que le lit de pose, deux tuteurs de métal à environ 1,80 m (6') de distance. Après remplissage de l'espace ainsi créé, le surplus de poussière de pierre est enlevé en faisant glisser une planche de bois bien droite entre les deux tuteurs. Les tuteurs sont déplacés au fur et à mesure que vous avancez votre pose.

9. Installez une membrane géotextile sur le lit de pose.

10. Posez les dalles en vous assurant qu'elles sont en ligne et qu'elles sont placées à des distances égales les unes des autres.

11. À l'aide de la scie à béton, découpez les dalles, si nécessaire.

12. Étendez, entre les dalles, et entre les dalles et la bordure, de la pierre décorative.

13. Ajoutez de la terre de culture de chaque côté du sentier et installez du gazon en plaques ou des plantations.

Ce qu'il vous faut?

Quels matériaux?

- Pierre décorative
- Dalles préfabriquées en béton
- Membrane géotextile
- Poussière de pierre ou sable à béton
- Pierre concassée 0-20 mm (0-$\frac{3}{4}$") Ø
- Bordure pour plate-bande
- Terre de culture
- Gazon en plaques ou végétaux

Quels outils?

- Pioche
- Pelle
- Râteau
- Balai
- Corde
- Niveau de corde
- Niveau à bulle
- Tuteurs de métal
- Planche de bois
- Mètre à ruban
- Lunettes de protection
- Boyau d'arrosage ou peinture en aérosol
- Piquets de bois
- Marteau

Quel équipement?

- Excavatrice ou mini-excavatrice, et camion pour les travaux de grande envergure
- Plaque vibrante
- Scie à béton avec lame au carbure ou à diamant
- Brouette

Trucs et conseils

Pour éviter que vos dalles ne soient abîmées par la pierre décorative, il faut que vous vous assuriez que le niveau de cette dernière est légèrement inférieur à celui des dalles. Pour ce faire, passez une planche de bois, posée sur la tranche, sur les joints, entre chaque dalle. Enlevez l'excédent de pierre qui «accroche» la planche de bois.

Avant d'installer votre allée de manière définitive, faites des essais. À l'aide de piquets et d'une corde, dessinez l'allée à l'endroit où vous pensez l'implanter. Vous pourrez ainsi marcher à l'endroit prévu pour le sentier et y apporter des modifications jusqu'à ce que vous soyez pleinement satisfait de son tracé. Pour le tracé, vous pouvez utiliser de la peinture en aérosol. Cependant, si vous modifiez le tracé plusieurs fois, les marques risquent de devenir difficiles à lire.

Quand vous décidez de créer un sentier sinueux, faites des courbes de large amplitude. En effet, des courbes trop fermées donnent une impression d'emprisonnement au promeneur. Aussi, l'aménagement des sentiers très sinueux est souvent difficile.

Sentier en pierres naturelles

PLAN

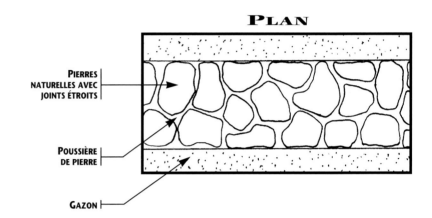

PIERRES NATURELLES AVEC JOINTS ÉTROITS

POUSSIÈRE DE PIERRE

GAZON

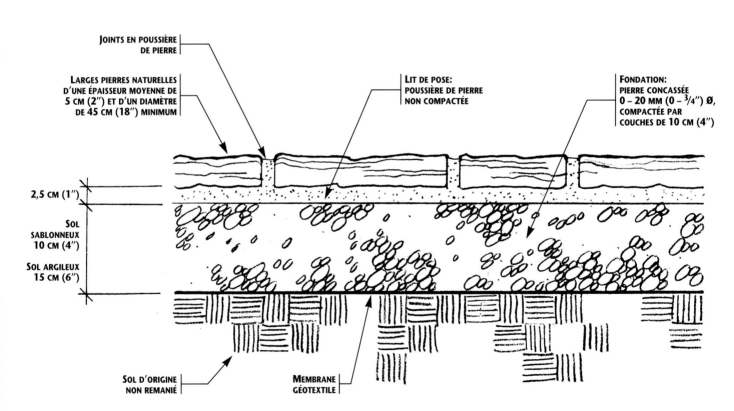

JOINTS EN POUSSIÈRE DE PIERRE

LARGES PIERRES NATURELLES D'UNE ÉPAISSEUR MOYENNE DE 5 CM (2") ET D'UN DIAMÈTRE DE 45 CM (18") MINIMUM

LIT DE POSE: POUSSIÈRE DE PIERRE NON COMPACTÉE

FONDATION: PIERRE CONCASSÉE 0 – 20 MM (0 – $^{3}/_{4}$") Ø, COMPACTÉE PAR COUCHES DE 10 CM (4")

2,5 CM (1")

SOL SABLONNEUX 10 CM (4")

SOL ARGILEUX 15 CM (6")

SOL D'ORIGINE NON REMANIÉ

MEMBRANE GÉOTEXTILE

DÉTAIL DE CONSTRUCTION

Comment faire ?

1. À l'aide de piquets et d'une corde, d'un boyau d'arrosage ou de peinture en aérosol, délimitez la forme du sentier sur le sol. Prévoyez 15 cm (6") de plus en largeur que la mesure finale pour bien asseoir la fondation.

2. Excavez la terre sur une profondeur de 20 cm (8") dans un sol sablonneux, et de 25 cm (10") dans un sol argileux. À la fin de l'excavation, le sol doit avoir la même pente que la pente finale des pierres naturelles (minimum 2 %).

3. Installez la membrane géotextile sur le sol.

4. Placez des piquets, légèrement à l'intérieur de la surface à aménager. Installez-les tous les 3 m (10'). Tendez une corde. Placez-la au même niveau qu'à celui où seront les pierres naturelles une fois celles-ci posées.

5. Installez 10 cm (4") de pierre concassée 0-20 mm (0-3/4") Ø et compactez à l'aide d'une plaque vibrante.

6. Ajoutez de la pierre concassée et compactez jusqu'à ce que vous ayez obtenu une fondation de 10 cm (4") de haut dans un sol sablonneux et de 15 cm (6") dans un sol argileux.

7. Étendez la poussière de pierre, ou le sable à béton, sur environ 2,5 cm (1"). Comme les pierres ne sont pas toutes d'épaisseur égale, c'est la poussière de pierre, ou le sable à béton, qui permet d'ajuster le niveau. Il est donc inutile de chercher à préparer un lit de pose sans imperfections.

8. Posez les pierres en vous assurant que les joints sont les plus étroits possible. Le ciseau à froid, le marteau ou la petite masse sont utilisés pour enlever des parties de pierre qui rendent le travail difficile.

9. Étendez, entre les pierres, de la poussière de pierre.

10. Ajoutez de la terre de culture de chaque côté du sentier et installez du gazon en plaques ou des plantations.

Ce qu'il vous faut ?

Quels matériaux ?

- Poussière de pierre
- Pierres naturelles
- Pierre concassée 0-20 mm (0-3/4") Ø
- Membrane géotextile
- Terre de culture
- Gazon en plaques ou végétaux

Quels outils ?

- Pioche
- Pelle
- Râteau
- Corde
- Balai
- Mètre à ruban
- Niveau de corde
- Niveau à bulle
- Marteau
- Petite masse
- Ciseau à froid
- Lunettes de protection
- Boyau d'arrosage ou peinture en aérosol
- Piquets de bois

Quel équipement ?

- Excavatrice ou mini-excavatrice, et camion pour les travaux de grande envergure
- Plaque vibrante
- Brouette

Sentier en poussière de pierre

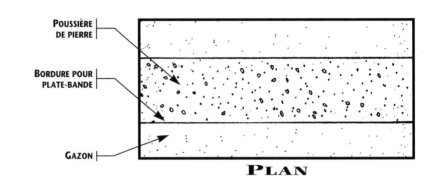

POUSSIÈRE DE PIERRE

BORDURE POUR PLATE-BANDE

GAZON

PLAN

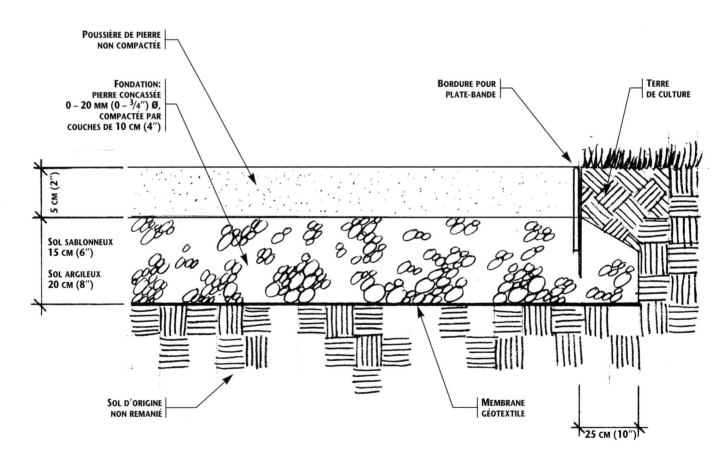

POUSSIÈRE DE PIERRE NON COMPACTÉE

FONDATION: PIERRE CONCASSÉE 0 – 20 MM (0 – 3/4") Ø, COMPACTÉE PAR COUCHES DE 10 CM (4")

BORDURE POUR PLATE-BANDE

TERRE DE CULTURE

5 CM (2")

SOL SABLONNEUX 15 CM (6")

SOL ARGILEUX 20 CM (8")

SOL D'ORIGINE NON REMANIÉ

MEMBRANE GÉOTEXTILE

25 CM (10")

DÉTAIL DE CONSTRUCTION

Comment faire?

1. À l'aide de piquets et d'une corde, d'un boyau d'arrosage ou de peinture en aérosol, délimitez la forme du sentier sur le sol. Prévoyez 25 cm (10") de plus en largeur que la dimension finale pour recevoir la bordure.

2. Excavez la terre sur une profondeur de 20 cm (8") dans un sol sablonneux, et de 25 cm (10") dans un sol argileux. À la fin de l'excavation, le sol doit avoir la même pente que la pente finale (minimum 2 %).

3. Installez la membrane géotextile sur le sol.

4. Placez des piquets, légèrement à l'intérieur de la surface à aménager. Installez-les tous les 3 m (10'). Tendez une corde. Placez-la au même niveau qu'à celui où sera le matériau granulaire une fois celui-ci posé.

5. Installez 10 cm (4") de pierre concassée 0-20 mm (0-³/4") Ø et compactez à l'aide d'une plaque vibrante.

6. Installez la bordure (voir la rubrique «Bordure pour plate-bande»).

7. Mettez en place et compactez le reste de la pierre concassée jusqu'à ce que vous ayez obtenu vos 15 cm (5") de fondation dans un sol sablonneux, ou vos 20 cm (8") dans un sol argileux. Prenez soin de ne pas déplacer les bordures.

8. Étendez la poussière de pierre sur environ 5 cm (2") et préparez le niveau final. Pour ce faire, aidez-vous des cordes que vous avez installées précédemment. Ne pas compacter. Vous pouvez aussi vous servir des bordures comme guide pour enlever le surplus de poussière de pierre.

9. Ajoutez de la terre de culture de chaque côté du sentier et faites les réparations à l'aide du gazon en plaques ou faites des plantations.

Ce qu'il vous faut?

Quels matériaux?

- Poussière de pierre
- Pierre concassée 0-20 mm (0-³/4") Ø
- Membrane géotextile
- Bordure pour plate-bande
- Terre de culture
- Gazon en plaques ou plantes

Quels outils?

- Pioche
- Pelle
- Râteau
- Balai
- Corde
- Planche de bois
- Niveau de corde
- Niveau à bulle
- Marteau
- Lunettes de protection
- Boyau d'arrosage ou peinture en aérosol
- Piquets de bois
- Mètre à ruban

Quel équipement?

- Excavatrice ou mini-excavatrice, et camion pour les travaux de grande envergure
- Plaque vibrante

Trucs et conseils

Un sentier en poussière de pierre demande un entretien plus important que celui recouvert d'un matériau dur. En effet, à la longue, les mauvaises herbes peuvent germer dans la poussière de pierre. Pour l'entretien, on peut soit utiliser un herbicide, soit procéder manuellement. Il faut prendre soin de ne pas se laisser envahir, auquel cas il est difficile de redonner au sentier son allure première. Aussi, il faut éviter que de la terre ne se dépose sur le sentier, ce qui faciliterait la germination des mauvaises herbes.

La mise en place d'un petit sentier en poussière de pierre peut être envisagée dans les larges plates-bandes. En effet, il est parfois indispensable de pouvoir pénétrer dans une plate-bande de grande largeur pour y faire l'entretien. La construction d'un sentier de 30 à 45 cm (12 à 18") en poussière de pierre est alors peu onéreuse et facile à intégrer à la création.

Dans le cas d'un sentier en poussière de pierre, il est très important de donner une pente de 2 %. Si cela s'avère impossible sur la longueur, il faut pratiquer cette pente sur la largeur du sentier. Cette pente transversale n'est pas perçue par le promeneur. Un sentier en poussière de pierre sans pente d'écoulement devient rapidement un chemin boueux après une pluie.

Pas japonais en dalles de béton

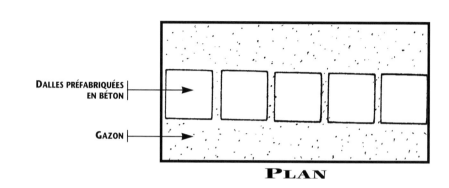

DALLES PRÉFABRIQUÉES EN BÉTON

GAZON

PLAN

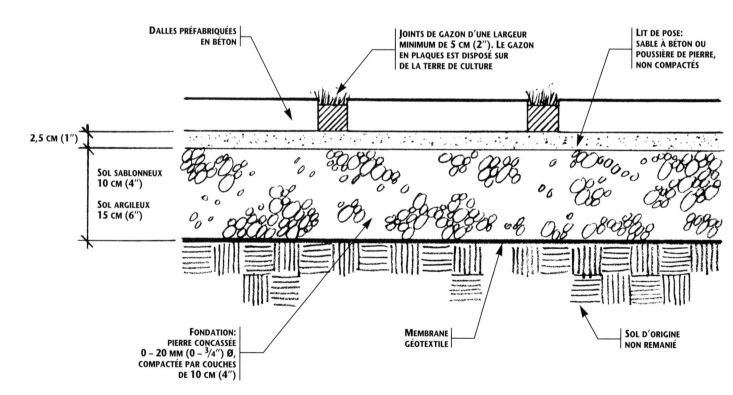

DALLES PRÉFABRIQUÉES EN BÉTON

JOINTS DE GAZON D'UNE LARGEUR MINIMUM DE 5 CM (2"). LE GAZON EN PLAQUES EST DISPOSÉ SUR DE LA TERRE DE CULTURE

LIT DE POSE: SABLE À BÉTON OU POUSSIÈRE DE PIERRE, NON COMPACTÉS

2,5 CM (1")

SOL SABLONNEUX 10 CM (4")

SOL ARGILEUX 15 CM (6")

FONDATION: PIERRE CONCASSÉE 0 – 20 MM (0 – 3/4") Ø, COMPACTÉE PAR COUCHES DE 10 CM (4")

MEMBRANE GÉOTEXTILE

SOL D'ORIGINE NON REMANIÉ

DÉTAIL DE CONSTRUCTION

Comment faire?

1. À l'aide de piquets et d'une corde, délimitez l'emplacement des pas japonais sur le sol. Prévoyez 10 cm (4") de plus en largeur que la dimension finale pour faciliter le travail.

2. Excavez la terre sur une profondeur de 20 cm (8") dans un sol sablonneux, et de 25 cm (10") dans un sol argileux. À la fin de l'excavation, le sol doit avoir la même pente que la pente finale des dalles (minimum 2 %).

3. Installez la membrane géotextile sur le sol.

4. Placez des piquets, légèrement à l'intérieur de la surface à aménager. Installez-les tous les 3 m (10'). Tendez une corde de ligne. Placez-la au même niveau qu'à celui où seront les dalles une fois celles-ci posées.

5. Installez 10 cm (4") de pierre concassée 0-20 mm (0-3/4") Ø et compactez à l'aide d'une plaque vibrante.

6. Ajoutez de la pierre concassée et compactez jusqu'à ce que vous ayez obtenu une fondation de 10 cm (4") de haut dans un sol sablonneux et de 15 cm (6") dans un sol argileux.

7. Étendez la poussière de pierre ou le sable à béton sur environ 2,5 cm (1") et préparez le niveau final. C'est à cette étape que le niveau est ajusté, les pavés de béton étant d'épaisseur égale. Aidez-vous avec les cordes que vous avez installées précédemment. Un lit de pose qui n'est pas au bon niveau donne une surface en pavés de béton qui, elle non plus, n'est pas au bon niveau. Le lit de pose peut être réalisé en couchant parallèlement, sur la fondation, au même niveau que le lit de pose, deux tuteurs de métal à environ 1,80 m (6') de distance. Après remplissage de l'espace ainsi créé, le surplus de poussière de pierre est enlevé en faisant glisser une planche de bois bien droite entre les deux tuteurs. Les tuteurs sont déplacés au fur et à mesure que vous avancez votre pose.

8. Posez les dalles en vous assurant qu'elles sont en ligne et qu'elles sont placées à la bonne distance les unes des autres.

9. Étendez, entre les dalles et autour d'elles, de la terre de culture.

10. Installez des bandes de gazon en plaques ou ensemencez.

Ce qu'il vous faut?

Quels matériaux ?

- Dalles préfabriquées en béton
- Sable à béton ou poussière de pierre
- Pierre concassée 0-20 mm (0-3/4") Ø
- Membrane géotextile
- Terre de culture
- Gazon en plaques ou semences

Quels outils ?

- Pioche
- Pelle
- Râteau
- Balai
- Corde
- Niveau de corde
- Niveau à bulle
- Tuteurs de métal
- Mètre à ruban
- Planche de bois
- Lunettes de protection
- Piquets de bois
- Marteau

Quel équipement ?

- Brouette

Trucs et conseils

Il existe sur le marché des dalles en béton coulé et des dalles en béton vibré. Les dalles en béton coulé sont généralement bon marché, mais elles sont moins résistantes aux intempéries. Les dalles en béton vibré ressemblent plus à des pavés de béton. C'est souvent un bon choix de pas japonais quand on installe un patio en pavés à proximité. Il est alors possible de coordonner les couleurs.

La manière de faire présentée ici s'applique à un terrain où la pelouse n'est pas encore existante. Si votre pelouse est déjà en place, utilisez les informations fournies à la rubrique «Pas japonais en pierres naturelles sur gazon existant». Pour ce qui est de la méthode décrite dans cette page, celle-ci peut aussi bien s'appliquer à la pose de pierres naturelles en pas japonais.

Pour éviter d'avoir des pas japonais en ligne droite, il vous est possible de décaler légèrement chaque dalle. Toutefois, si vous décidez de pratiquer cette technique, il faut que ce décalage soit fait de manière égale. Par exemple, si vous décalez la deuxième dalle de 5 cm (2"), la troisième est décalée de 5 cm (2"), la quatrième de 5 cm (2"), et ainsi de suite. Pour réaliser ce décalage, vous pouvez utiliser un guide (une planche de 50 mm x 100 mm [2" x 4"] par exemple), ce qui vous assure une dimension constante et un travail facile.

Pas japonais en pierres naturelles sur gazon existant

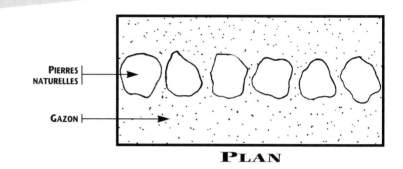

PIERRES NATURELLES

GAZON

PLAN

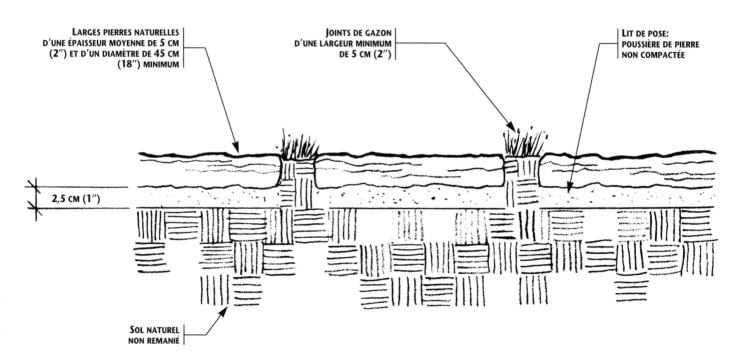

LARGES PIERRES NATURELLES D'UNE ÉPAISSEUR MOYENNE DE 5 CM (2") ET D'UN DIAMÈTRE DE 45 CM (18") MINIMUM

JOINTS DE GAZON D'UNE LARGEUR MINIMUM DE 5 CM (2")

LIT DE POSE: POUSSIÈRE DE PIERRE NON COMPACTÉE

2,5 CM (1")

SOL NATUREL NON REMANIÉ

DÉTAIL DE CONSTRUCTION

Comment faire ?

1. Placez les pierres sur le sol en vous assurant qu'elles sont à la bonne distance.

2. À l'aide d'un couteau ou d'un coupe-bordure, découpez le gazon en respectant la forme des pierres.

3. Enlevez le gazon et excavez la terre sur une profondeur de 5 à 7,5 cm (2 à 3").

4. Étendez la poussière de pierre, ou le sable à béton, sur environ 2,5 à 5 cm (1 à 2") suivant l'épaisseur des pierres.

5. Installez les pierres en vous assurant qu'elles sont de niveau et qu'elles sont aussi de niveau les unes par rapport aux autres.

6. Remplissez de terre de culture autour des pierres, si nécessaire, et semez au besoin.

Ce qu'il vous faut ?

Quels matériaux ?	Quels outils ?	Quel équipement ?
• Poussière de pierre	• Pelle	• Brouette
• Pierres naturelles	• Râteau	
• Terre de culture	• Coupe-bordure	
• Semences à gazon	• Balai	
	• Niveau à bulle	
	• Mètre à ruban	
	• Marteau	

Trucs et conseils

Vous devez utiliser des pierres qui ont au moins 45 cm (18") de diamètre. La première raison, c'est qu'une pierre trop petite n'offre pas une assez grande stabilité. La deuxième, c'est que le promeneur hésite à utiliser des pas japonais trop petits, car il marche alors plus sur le gazon que sur les pierres. Pour éviter ce problème, triez vos pierres avant de les poser. Il est aussi possible de regrouper, avec un très petit joint de gazon, deux petites pierres entre elles. N'utilisez cette solution que dans les cas extrêmes.

Pour définir la dimension entre les pas, il suffit de marcher, lentement, sur le gazon et de marquer chacun des pas. La marque du pied devient alors le centre de la pierre. Pour faire ces marques, on demande au plus petit des adultes de la famille de marcher. En effet, si les pierres sont trop éloignées, les personnes de petite taille ont de la difficulté à marcher sur les pas. Par contre, il suffit aux personnes de grande taille de ralentir leur pas pour adapter leur marche.

Après quelques années, le gazon a tendance à recouvrir les pierres. Il suffit alors de prendre un couteau et de découper le gazon en suivant le contour de chaque pierre.

Dans le cas présenté ici, vous pouvez remplacer les pierres par des dalles de béton. La pose se fait de la même manière que celle décrite dans la section «Comment faire?».

Patio en dalles de béton

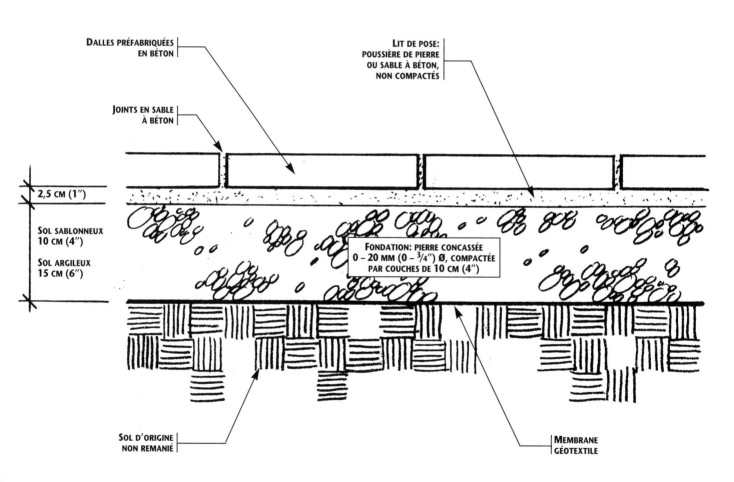

DALLES PRÉFABRIQUÉES EN BÉTON

LIT DE POSE: POUSSIÈRE DE PIERRE OU SABLE À BÉTON, NON COMPACTÉS

JOINTS EN SABLE À BÉTON

2,5 CM (1")

SOL SABLONNEUX 10 CM (4")

SOL ARGILEUX 15 CM (6")

FONDATION: PIERRE CONCASSÉE 0 – 20 MM (0 – 3/4") Ø, COMPACTÉE PAR COUCHES DE 10 CM (4")

SOL D'ORIGINE NON REMANIÉ

MEMBRANE GÉOTEXTILE

DÉTAIL DE CONSTRUCTION

Comment faire?

1. À l'aide de piquets et d'une corde, d'un boyau d'arrosage ou de peinture en aérosol, délimitez la forme du patio sur le sol. Prévoyez 15 cm (6") de plus en largeur que la dimension finale pour faciliter le travail. Choisissez si possible une largeur qui évite les découpes.

2. Excavez la terre sur une profondeur de 20 cm (8") dans un sol sablonneux, et de 25 cm (10") dans un sol argileux. À la fin de l'excavation, le sol doit avoir la même pente que la pente finale des dalles (minimum 2 %).

3. Installez la membrane géotextile sur le sol.

4. Placez des piquets légèrement à l'intérieur de la surface à aménager. Installez-les tous les 3 m (10'). Tendez une corde. Placez-la au même niveau qu'à celui où seront les dalles une fois celles-ci posées.

5. Installez 10 cm (4") de pierre concassée 0-20 mm (0-3/4") Ø et compactez à l'aide d'une plaque vibrante.

6. Ajoutez de la pierre concassée et compactez jusqu'à ce que vous ayez obtenu une fondation de 10 cm (4") de haut dans un sol sablonneux et de 15 cm (6") dans un sol argileux.

7. Étendez la poussière de pierre ou le sable à béton sur environ 2,5 cm (1") et préparez le niveau final. C'est à cette étape que le niveau est ajusté, les pavés de béton étant d'épaisseur égale. Aidez-vous avec les cordes que vous avez installées précédemment. Un lit de pose qui n'est pas au bon niveau donne une surface en pavés de béton qui, elle non plus, n'est pas au bon niveau. Le lit de pose peut être réalisé en couchant parallèlement, sur la fondation, au même niveau que le lit de pose, deux tuteurs de métal à environ 1,80 m (6') de distance. Après remplissage de l'espace ainsi créé, le surplus de poussière de pierre est enlevé en faisant glisser une planche de bois bien droite entre les deux tuteurs. Les tuteurs sont déplacés au fur et à mesure que vous avancez votre pose.

8. Posez les dalles en vous assurant qu'elles sont en ligne et que les joints sont les plus minces possible.

9. À l'aide de la scie à béton, découpez les dalles, si nécessaire.

10. Étendez, entre les dalles, du sable à béton.

11. Ajoutez de la terre de culture sur les côtés du patio et installez du gazon en plaques ou des plantations.

Ce qu'il vous faut?

Quels matériaux?

- Sable à béton
- Dalles préfabriquées en béton
- Poussière de pierre
- Pierre concassée 0-20 mm (0-3/4") Ø
- Membrane géotextile
- Terre de culture
- Gazon en plaques ou végétaux

Quels outils?

- Pioche
- Pelle
- Râteau
- Balai
- Tuteurs de métal
- Mètre à ruban
- Planche de bois
- Corde
- Niveau de corde
- Niveau à bulle
- Lunettes de protection
- Boyau d'arrosage ou peinture en aérosol
- Piquets de bois
- Marteau

Quel équipement?

- Plaque vibrante
- Scie à béton avec lame au carbure ou à diamant
- Brouette

Patio en pierres naturelles

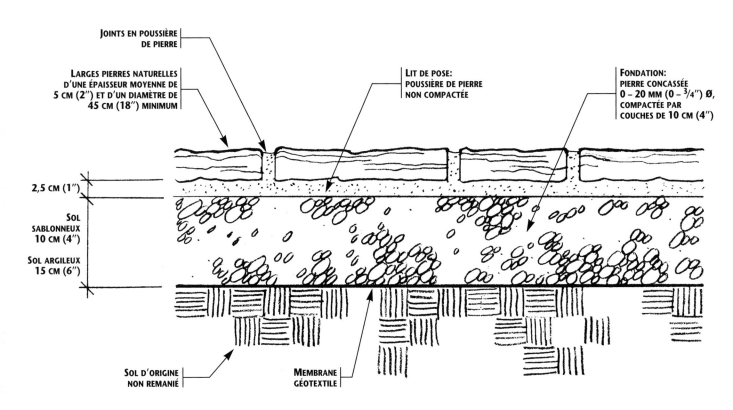

JOINTS EN POUSSIÈRE DE PIERRE

LARGES PIERRES NATURELLES D'UNE ÉPAISSEUR MOYENNE DE 5 CM (2″) ET D'UN DIAMÈTRE DE 45 CM (18″) MINIMUM

LIT DE POSE: POUSSIÈRE DE PIERRE NON COMPACTÉE

FONDATION: PIERRE CONCASSÉE 0 – 20 MM (0 – $^3/_4$″) Ø, COMPACTÉE PAR COUCHES DE 10 CM (4″)

2,5 CM (1″)

SOL SABLONNEUX 10 CM (4″)

SOL ARGILEUX 15 CM (6″)

SOL D'ORIGINE NON REMANIÉ

MEMBRANE GÉOTEXTILE

DÉTAIL DE CONSTRUCTION

Comment faire ?

1. À l'aide de piquets et d'une corde, d'un boyau d'arrosage ou de peinture en aérosol, délimitez la forme du patio sur le sol. Prévoyez 15 cm (6") de plus en largeur pour bien asseoir la fondation.

2. Excavez la terre sur une profondeur de 20 cm (8") dans un sol sablonneux, et de 25 cm (10") dans un sol argileux. À la fin de l'excavation, le sol doit avoir la même pente que la pente finale des pierres naturelles (minimum 2 %).

3. Installez la membrane géotextile sur le sol.

4. Placez des piquets légèrement à l'intérieur de la surface à aménager. Installez-les tous les 3 m (10'). Tendez une corde. Placez-la au même niveau qu'à celui où sera la pierre une fois celle-ci posée.

5. Installez 10 cm (4") de pierre concassée 0-20 mm (0-$\frac{3}{4}$") Ø et compactez à l'aide d'une plaque vibrante.

6. Ajoutez de la pierre concassée et compactez jusqu'à ce que vous ayez obtenu une fondation de 10 cm (4") de haut dans un sol sablonneux et de 15 cm (6") dans un sol argileux.

7. Étendez la poussière de pierre ou le sable à béton sur environ 2,5 cm (1"). Comme les pierres ne sont pas toutes d'épaisseur égale, c'est la poussière de pierre, ou le sable à béton, qui permet d'ajuster le niveau. Il est donc inutile de chercher à préparer un lit de pose sans imperfections.

8. Posez les pierres en vous assurant que les joints sont les plus étroits possible.

9. Étendez, entre les pierres, de la poussière de pierre.

10. Ajoutez de la terre de culture de chaque côté du sentier et installez du gazon en plaques ou des plantations.

Ce qu'il vous faut ?

Quels matériaux ?

- Pierres naturelles
- Poussière de pierre ou sable à béton
- Pierre concassée 0-20 mm (0-$\frac{3}{4}$") Ø
- Membrane géotextile
- Terre de culture
- Gazon en plaques ou végétaux

Quels outils ?

- Pioche
- Pelle
- Râteau
- Balai
- Corde
- Niveau de corde
- Niveau à bulle
- Marteau
- Petite masse
- Ciseau à froid
- Mètre à ruban
- Lunettes de protection
- Boyau d'arrosage ou peinture en aérosol
- Piquets de bois

Quel équipement ?

- Excavatrice ou mini-excavatrice, et camion pour les travaux de grande envergure
- Plaque vibrante

Trucs et conseils

Un patio en pierres naturelles est facile à intégrer dans un aménagement. Sa forme peut facilement épouser le contour des plates-bandes ou inclure un arbre existant. Pour une plus grande intégration vous pouvez y planter du gazon ou des plantes tapissantes. Il faut alors que vous prévoyiez des joints légèrement plus larges. Dans le cas où vous voulez planter du gazon, remplissez les joints de terre de culture. Pour ce qui est des plantes tapissantes, un mélange de terre de culture et de poussière de pierre convient mieux. Les plantes poussent alors moins et recouvrent donc moins les pierres.

Plusieurs espèces de plantes peuvent être plantées dans les joints d'un patio en pierres naturelles. Si l'usage est intensif, il faut utiliser le thym serpolet. Cette plante résiste bien à une utilisation journalière. Cependant, le plein soleil lui est indispensable pour bien croître.

Dans le cas d'un patio en pierres naturelles à usage moins intensif, vous pouvez utiliser notamment les hélianthes, les aubriettes, les alysses, les corbeilles d'argent, les oeillets mignardises, les phlox nains. Il en existe d'autres. Faites vos expériences.

Si vous décidez de planter des végétaux dans les joints, utilisez des plantes cultivées en cellules (2,5 cm x 2,5 cm [1" x 1"]) plutôt que des plantes en pot de 10 cm (4") que vous êtes obligé de diviser. La plantation est faite tous les 7,5 cm (3").

Patio en pavés de béton

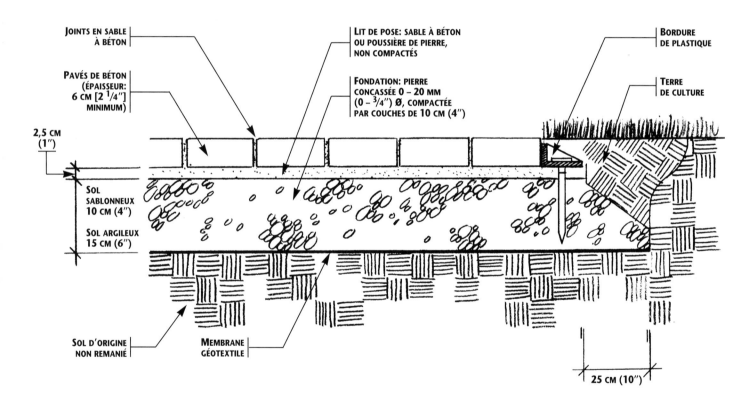

JOINTS EN SABLE À BÉTON

LIT DE POSE: SABLE À BÉTON OU POUSSIÈRE DE PIERRE, NON COMPACTÉS

BORDURE DE PLASTIQUE

PAVÉS DE BÉTON (ÉPAISSEUR: 6 CM [2 1/4"] MINIMUM)

FONDATION: PIERRE CONCASSÉE 0 – 20 MM (0 – 3/4") Ø, COMPACTÉE PAR COUCHES DE 10 CM (4")

TERRE DE CULTURE

2,5 CM (1")

SOL SABLONNEUX 10 CM (4")

SOL ARGILEUX 15 CM (6")

SOL D'ORIGINE NON REMANIÉ

MEMBRANE GÉOTEXTILE

25 CM (10")

DÉTAIL DE CONSTRUCTION

Comment faire ?

1. À l'aide de piquets et d'une corde, d'un boyau d'arrosage ou de peinture en aérosol, délimitez la forme du patio sur le sol. Prévoyez 30 cm (12") de plus en largeur que la dimension finale pour faciliter le travail. Choisissez si possible une largeur qui évite les découpes.

2. Excavez la terre sur une profondeur de 20 cm (8") dans un sol sablonneux, et de 25 cm (10") dans un sol argileux. À la fin de l'excavation, le sol doit avoir la même pente que la pente finale du pavé de béton (minimum 2 %).

3. Installez la membrane géotextile sur le sol.

4. Placez des piquets légèrement à l'intérieur de la surface à aménager. Installez-les tous les 3 m (10'). Tendez une corde de ligne. Placez-la au même niveau qu'à celui ou sera le pavé une fois celui-ci posé.

5. Installez 10 cm (4") de pierre concassée 0-20 mm (0-3/4") Ø et compactez à l'aide d'une plaque vibrante.

6. Ajoutez de la pierre concassée et compactez jusqu'à ce que vous ayez obtenu une fondation de 10 cm (4") de haut dans un sol sablonneux et de 15 cm (6") dans un sol argileux.

7. Étendez la poussière de pierre ou le sable à béton sur environ 2,5 cm (1") et préparez le niveau final. C'est à cette étape que le niveau est ajusté, les pavés de béton étant d'épaisseur égale. Aidez-vous avec les cordes que vous avez installées précédemment. Un lit de pose qui n'est pas au bon niveau donne une surface en pavés de béton qui, elle non plus, n'est pas au bon niveau. Le lit de pose peut être réalisé en couchant parallèlement, sur la fondation, au même niveau que le lit de pose, deux tuteurs de métal à environ 1,80 m (6') de distance. Après remplissage de l'espace ainsi créé, le surplus de poussière de pierre est enlevé en faisant glisser une planche de bois bien droite entre les deux tuteurs. Les tuteurs sont déplacés au fur et à mesure que vous avancez votre pose.

8. Posez les pavés.

9. À l'aide de la scie à béton, découpez les pavés, si nécessaire.

10. Installez la bordure de plastique (voir la rubrique «Bordure de plastique pour pavés»).

11. Étendez du sable à béton sur les pavés et, à l'aide d'un balai, remplissez les joints. Pour que les joints soient bien remplis, il faut balayer plusieurs fois à la même place.

12. Passez la plaque vibrante sur les pavés. Étendez à nouveau du sable, balayez et passez une autre fois la plaque vibrante. Répétez cette opération jusqu'à ce que les joints soient bien remplis.

13. Ajoutez de la terre à gazon de chaque côté du patio et installez le gazon en plaques ou les plantations.

Ce qu'il vous faut ?

Quels matériaux ?

- Sable à béton
- Pavés de béton
- Poussière de pierre
- Pierre concassée 0-20 mm (0-3/4") Ø
- Bordure de plastique
- Membrane géotextile
- Terre de culture
- Gazon en plaques ou végétaux

Quels outils ?

- Pioche
- Pelle
- Râteau
- Balai
- Mètre à ruban
- Corde
- Niveau de corde
- Niveau à bulle
- Lunettes de protection
- Boyau d'arrosage ou peinture en aérosol
- Piquets de bois
- Marteau

Quel équipement ?

- Excavatrice ou mini-excavatrice, et camion pour les travaux de grande envergure
- Plaque vibrante
- Scie à béton avec une lame au carbure ou à diamant
- Brouette

Trucs et conseils

Pendant de nombreuses années, les pavés avaient surtout des formes rectangulaires et l'aspect du béton. Depuis quelques années, plusieurs modèles de pavés de béton ont été conçus pour pouvoir former facilement des cercles. Aussi, plusieurs compagnies proposent aujourd'hui des pavés qui imitent la pierre naturelle.

Pour assurer l'unité de votre projet, il est important de coordonner la forme et la couleur des pavés sur l'ensemble de la propriété. En utilisant le même type et la même couleur de pavés pour le stationnement, les sentiers ou les patios, vous facilitez l'intégration des éléments les uns aux autres.

Si, pour des raisons de design, vous désirez changer de style et de couleur de pavés entre le devant de la maison et la partie arrière, utilisez le côté pour faire la transition. Vous pouvez réaliser la coupure à la hauteur d'une tonnelle ou d'une petite arche. Si celle-ci est munie d'une porte, l'effet est encore plus atténué. Une autre technique consiste à utiliser les mêmes couleurs si on choisit des formes différentes de pavés.

Patio en bois traité sur semelle de béton

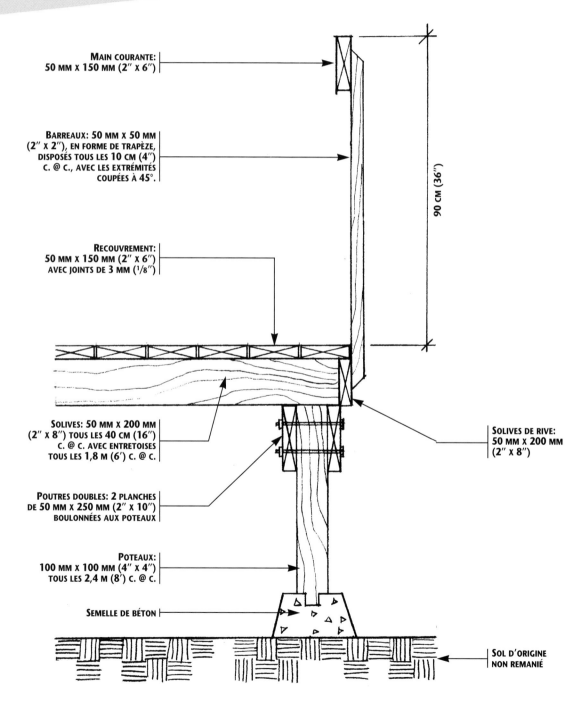

MAIN COURANTE:
50 MM X 150 MM (2" X 6")

BARREAUX: 50 MM X 50 MM (2" X 2"), EN FORME DE TRAPÈZE, DISPOSÉS TOUS LES 10 CM (4") C. @ C., AVEC LES EXTRÉMITÉS COUPÉES À 45°.

RECOUVREMENT:
50 MM X 150 MM (2" X 6") AVEC JOINTS DE 3 MM (1/8")

90 CM (36")

SOLIVES: 50 MM X 200 MM (2" X 8") TOUS LES 40 CM (16") C. @ C. AVEC ENTRETOISES TOUS LES 1,8 M (6') C. @ C.

SOLIVES DE RIVE:
50 MM X 200 MM (2" X 8")

POUTRES DOUBLES: 2 PLANCHES DE 50 MM X 250 MM (2" X 10") BOULONNÉES AUX POTEAUX

POTEAUX:
100 MM X 100 MM (4" X 4") TOUS LES 2,4 M (8') C. @ C.

SEMELLE DE BÉTON

SOL D'ORIGINE NON REMANIÉ

DÉTAIL DE CONSTRUCTION

Comment faire ?

1. Égalisez le sol à l'endroit où vous désirez construire le patio.

2. Identifiez, à l'aide de piquets, l'emplacement des semelles de béton.

3. Dans le cas où le patio est retenu à la maison, installez l'assise qui doit recevoir les solives.

4. Installez les poteaux de niveau en les retenant temporairement par des piquets placés en angle.

5. Installez de niveau les poutres doubles qui relient les différents poteaux entre eux ainsi que l'assise, si nécessaire. Enlevez les piquets temporaires.

6. Mettez en place les solives, les entretoises et les solives de rive.

7. Installez le recouvrement selon le modèle choisi.

8. Voyez aux travaux de finition ou à l'installation des autres éléments du patio comme les garde-corps, les bancs, les escaliers, les pergolas ou les boîtes à fleurs.

Ce qu'il vous faut ?

Quels matériaux ?	Quels outils ?	Quel équipement ?
• Bois 50 mm x 150 mm (2" x 6")	• Pelle	• Plateau de sciage (banc de scie)
• Bois 50 mm x 50 mm (2" x 2")	• Râteau	• Équipement de menuiserie (scie ronde, sableuse, perceuse, etc.)
• Bois 50 mm x 200 mm (2" x 8")	• Corde	
• Bois 50 mm x 250 mm (2" x 10")	• Niveau de corde	
• Boulons	• Niveau à bulle	
• Bois 100 mm x 100 mm (4" x 4")	• Mètre à ruban	
• Semelle de béton	• Balai	
• Clou ou vis	• Lunettes de protection	
	• Piquets de bois	
	• Coffre de menuisier (marteau, tournevis, etc.)	

Trucs et conseils

Si vous êtes à la recherche d'idées pour construire un patio, nous vous conseillons la lecture de **Construire un patio**, un document rédigé sous la plume des auteurs du présent ouvrage.

Les patios en bois sont extrêmement appréciés des jardiniers quand ils ont à faire face à un problème de niveau. Ils peuvent être utilisés pour offrir une sortie au niveau d'une maison dont l'étage principal est surélevé. Ils peuvent aussi raccorder une piscine hors terre à un patio existant ou à la maison.

Si le niveau principal de votre maison est aussi haut que la clôture qui vous sépare du voisin, une solution consiste à créer un patio à deux niveaux. Le premier niveau, près de la résidence, permet de sortir dehors. Le patio principal, situé plus bas, permet ainsi une plus grande intimité. Pour rendre le patio supérieur plus accueillant, il peut être intéressant d'y construire un banc.

Pour construire un patio en bois, vous pouvez utiliser du bois traité au CCA-C50 ou équivalent, du pin jaune traité ou du cèdre. Il existe cependant d'autres types de bois plus ou moins chers. Le choix du bois doit être fait en prenant en considération le style de l'aménagement. Quant à la quincaillerie, il est conseillé d'utiliser de l'acier galvanisé à chaud. Pour ce qui est des fixations, les vis permettent une meilleure adhérence. Les clous devraient, quant à eux, être vrillés.

Pour une propreté accrue, vous pouvez étendre, sous le patio, une membrane géotextile et la recouvrir de 2,5 à 5 cm (1 à 2") de pierre nette 12 mm ($^1/_2$") Ø.

Escalier en bois pour patio

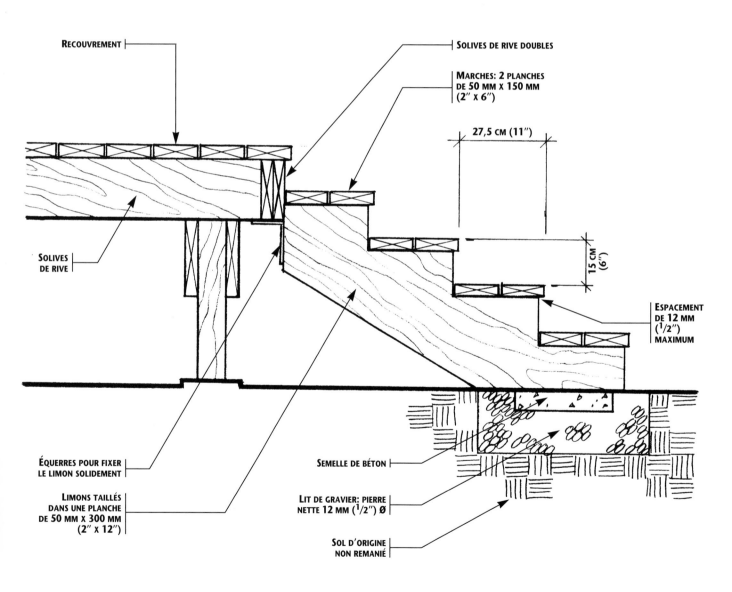

RECOUVREMENT

SOLIVES DE RIVE DOUBLES

MARCHES: 2 PLANCHES DE 50 MM X 150 MM (2″ X 6″)

27,5 CM (11″)

15 CM (6″)

SOLIVES DE RIVE

ESPACEMENT DE 12 MM (¹/2″) MAXIMUM

ÉQUERRES POUR FIXER LE LIMON SOLIDEMENT

SEMELLE DE BÉTON

LIMONS TAILLÉS DANS UNE PLANCHE DE 50 MM X 300 MM (2″ X 12″)

LIT DE GRAVIER: PIERRE NETTE 12 MM (¹/2″) Ø

SOL D'ORIGINE NON REMANIÉ

DÉTAIL DE CONSTRUCTION

Comment faire ?

1. Dans le cas où votre escalier est relié à votre patio, construisez celui-ci en premier. Sinon, installez une assise sur la maison ou sur la construction. Cette assise est faite d'un morceau de bois de 50 mm x 200 mm (2" x 8") ou de 50 mm x 100 mm (2" x 4") fixé par des ancrages dans le mur.

2. Excavez le sol sur une profondeur de 15 cm (5") en face des endroits où sont appuyés les limons.

3. Remplissez les trous de pierre nette 12 mm (1/2") Ø en y intégrant une dalle en béton de 30 cm x 30 cm (12" x 12") de large.

4. Découpez les limons selon les dimensions que vous avez préalablement calculées.

5. Doublez la solive sur laquelle sera fixée l'escalier.

6. Installez les limons en les retenant par des équerres aux solives du patio, ou par des étriers à l'assise installée sur la maison. Fixez leur largeur temporairement par une planche.

7. Installez le recouvrement sur la première marche en vous assurant que tous les éléments sont bien à l'équerre.

8. Installez le recouvrement sur la marche la plus haute en prenant soin de vérifier l'équerre.

9. Installez le recouvrement sur les autres marches.

10. Voyez aux travaux de finition ou à l'installation d'autres éléments comme les garde-corps.

Ce qu'il vous faut ?

Quels matériaux ?

- Bois 50 mm x 150 mm (2" x 6")
- Équerre
- Bois 50 mm x 300 mm (2" x 12")
- Semelle de béton
- Pierre nette 12 mm (1/2") Ø
- Clou ou vis

Quels outils ?

- Pioche
- Pelle
- Râteau
- Corde
- Balai
- Niveau de corde
- Niveau à bulle
- Mètre à ruban
- Lunettes de protection
- Piquets de bois
- Coffre de menuiserie (marteau, équerre, etc.)

Quel équipement ?

- Plateau de sciage (banc de scie)
- Équipement de menuiserie (scie ronde, sableuse, perceuse, etc.)

Muret de blocs préfabriqués en béton

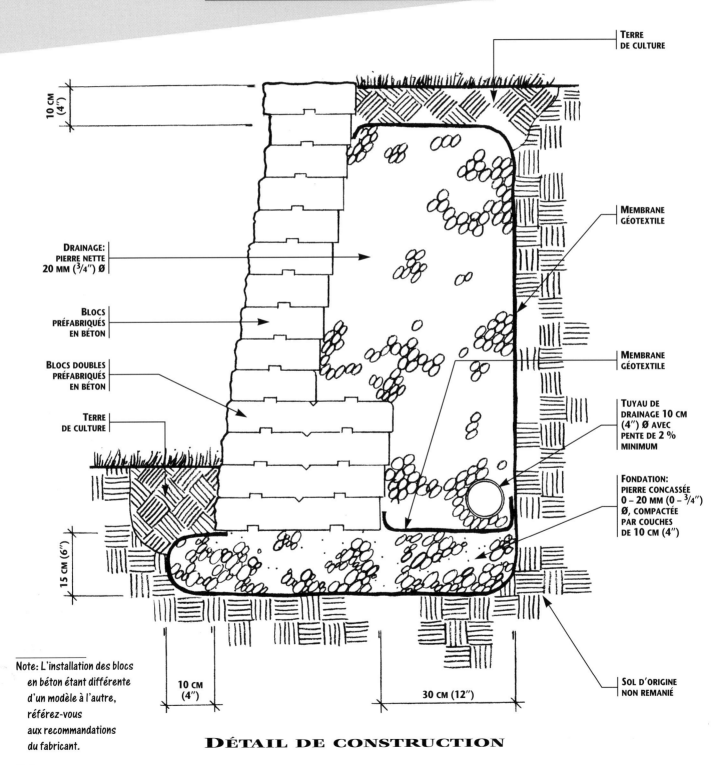

TERRE DE CULTURE

10 CM (4")

DRAINAGE: PIERRE NETTE 20 MM (³/₄") Ø

BLOCS PRÉFABRIQUÉS EN BÉTON

BLOCS DOUBLES PRÉFABRIQUÉS EN BÉTON

TERRE DE CULTURE

MEMBRANE GÉOTEXTILE

MEMBRANE GÉOTEXTILE

TUYAU DE DRAINAGE 10 CM (4") Ø AVEC PENTE DE 2 % MINIMUM

FONDATION: PIERRE CONCASSÉE 0 – 20 MM (0 – ³/₄") Ø, COMPACTÉE PAR COUCHES DE 10 CM (4")

15 CM (6")

10 CM (4")

30 CM (12")

SOL D'ORIGINE NON REMANIÉ

Note: L'installation des blocs en béton étant différente d'un modèle à l'autre, référez-vous aux recommandations du fabricant.

DÉTAIL DE CONSTRUCTION

Comment faire ?

1. À l'aide de piquets et d'une corde, ou de peinture en aérosol, délimitez la forme du muret sur le sol. Prévoyez 90 cm (3') de large pour recevoir les blocs de béton ainsi que la pierre nette qui sert de drainage.

2. À quelques centimètres en avant du muret, plantez un piquet de bois plus haut que la hauteur totale du muret.

3. Avec la corde et le niveau de corde, déterminez le point le plus haut du muret et indiquez cette mesure sur le piquet.

4. Excavez la terre à la base du muret sur 30 cm (12") de profondeur.

5. Installez la membrane géotextile sur le sol, sous la fondation, et en arrière du muret.

6. Installez 10 cm (4") de pierre concassée 0-20 mm (0-3/4") Ø et compactez à l'aide d'une plaque vibrante.

7. Ajoutez et compactez la pierre concassée jusqu'à ce que vous ayez obtenu vos 15 cm (6") de fondation.

8. Installez une membrane géotextile pour séparer la fondation du drainage.

9. Installez, à la base du muret, un drain agricole de 10 cm (4") pour les murs de plus de 90 cm (3') de haut.

10. Installez quatre rangées de blocs doubles. Deux rangées doivent être enterrées et deux rangées doivent être au-dessus du niveau du sol.

11. Installez les blocs en vous assurant qu'ils s'imbriquent bien les uns dans les autres grâce à la clé (rainures et embouts). L'ajustement peut être fait à l'aide du ciseau à froid.

12. Au fur et à mesure que le mur prend forme, remplissez la partie arrière de pierre nette 20 mm (3/4") Ø.

13. Environ 10 cm (4") avant la fin du mur, cessez le remplissage en pierre nette 20 mm (3/4") Ø et refermez la membrane géotextile. Cet espace est conservé pour pouvoir installer de la terre de culture.

14. À la hauteur désirée, installez le bloc de finition. Celui-ci ne porte pas de rainure sur le dessus.

15. En avant et en haut du muret, ajoutez de la terre de culture qui peut recevoir des plantations ou du gazon.

Ce qu'il vous faut ?

Quels matériaux ?

- Blocs préfabriqués en béton
- Blocs doubles préfabriqués en béton (selon les spécifications du fabricant)
- Pierre concassée 0-20 mm (0-3/4") Ø
- Membrane géotextile
- Pierre nette 20 mm (3/4") Ø
- Tuyau de drainage 10 cm (4")
- Terre de culture
- Gazon en plaques ou végétaux

Quels outils ?

- Pioche
- Pelle
- Râteau
- Balai
- Corde
- Niveau de corde
- Niveau à bulle
- Marteau
- Masse
- Mètre à ruban
- Petite masse
- Ciseau à froid
- Lunettes de protection
- Boyau d'arrosage ou peinture en aérosol
- Piquets de bois

Quel équipement ?

- Excavatrice ou mini-excavatrice, et camion pour les travaux de grande envergure
- Plaque vibrante
- Brouette

Trucs et conseils

Il existe sur le marché des blocs préfabriqués en béton de différentes épaisseurs. Vous devez guider votre choix en vous inspirant du style de votre aménagement paysager. Il faut savoir que les blocs minces donnent l'illusion de la pierre naturelle, alors que les blocs larges ont une allure contemporaine.

Avec les blocs préfabriqués en béton, il est aussi possible de réaliser des escaliers qui peuvent agréablement s'intégrer aux murets. Toutefois, ce genre de construction demande de bonnes connaissances et n'est pas à la portée des débutants. Pour un travail réussi, faites-vous conseiller par un professionnel.

Dans le cas où vous avez une grande dénivelée de mur à habiller, il faut étudier la possibilité de diviser le mur en deux ou trois parties. Il vous en coûte un peu plus cher, mais la réalisation est plus facile et la résistance à long terme est meilleure. De plus, chaque étage ainsi créé peut recevoir des plantations qui diminueront l'impact visuel d'un mur de béton. La technique en escalier facilite donc l'intégration des murets au reste du jardin.

Muret sec en pierres naturelles

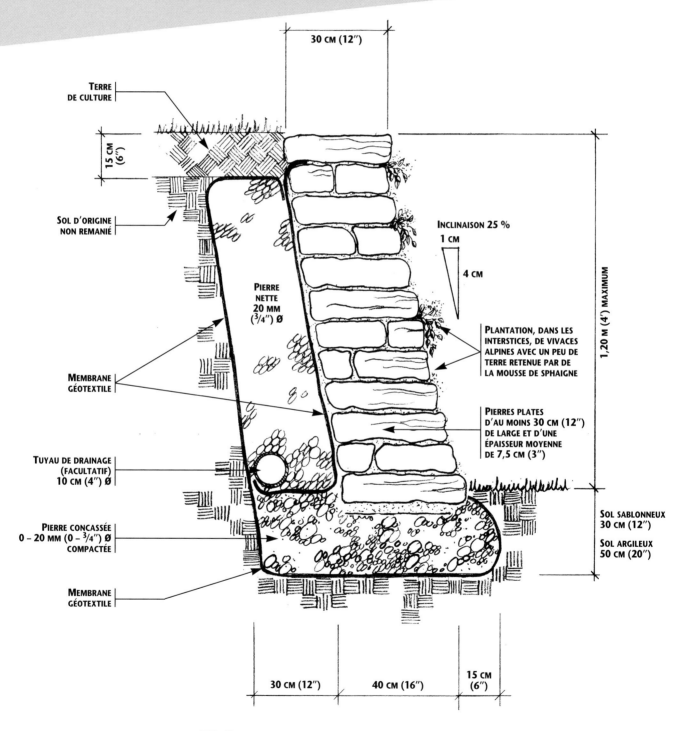

TERRE DE CULTURE

SOL D'ORIGINE NON REMANIÉ

MEMBRANE GÉOTEXTILE

TUYAU DE DRAINAGE (FACULTATIF) 10 CM (4") Ø

PIERRE CONCASSÉE 0 – 20 MM (0 – ³/₄") Ø COMPACTÉE

MEMBRANE GÉOTEXTILE

30 CM (12")

15 CM (6")

PIERRE NETTE 20 MM (³/₄") Ø

INCLINAISON 25 %

1 CM

4 CM

PLANTATION, DANS LES INTERSTICES, DE VIVACES ALPINES AVEC UN PEU DE TERRE RETENUE PAR DE LA MOUSSE DE SPHAIGNE

PIERRES PLATES D'AU MOINS 30 CM (12") DE LARGE ET D'UNE ÉPAISSEUR MOYENNE DE 7,5 CM (3")

1,20 M (4') MAXIMUM

SOL SABLONNEUX 30 CM (12")

SOL ARGILEUX 50 CM (20")

30 CM (12")   40 CM (16")   15 CM (6")

DÉTAIL DE CONSTRUCTION

Comment faire ?

1. À l'aide de piquets et d'une corde ou de peinture en aérosol, délimitez la forme du muret sur le sol. Prévoyez 85 cm (2' 10") de large pour recevoir les pierres naturelles ainsi que la pierre nette qui sert de drainage.

2. À quelques centimètres en avant du muret, plantez un piquet de bois plus haut que la hauteur totale du muret.

3. Avec la corde et le niveau de corde, déterminez le point le plus haut du muret et indiquez cette mesure sur le piquet.

4. Excavez la terre à la base du muret pour pouvoir installer la fondation. Cette excavation doit avoir 40 cm (16") de profondeur dans un sol sablonneux, et 60 cm (2') dans un sol argileux.

5. Installez la membrane géotextile sur le sol, sous la fondation, et en arrière du muret.

6. Installez 10 cm (4") de pierre concassée 0-20 mm (0-3/4") Ø et compactez à l'aide d'une plaque vibrante.

7. Recommencez cette opération jusqu'à ce que vous ayez obtenu vos 30 cm (12") de fondation dans un sol sablonneux, et 50 cm (20") dans un sol argileux.

8. Installez la membrane géotextile qui est directement en arrière du mur.

9. Installez un drain agricole de 10 cm (4") pour les murs de plus de 90 cm (3') de haut.

10. Installez un lit de pose de 2,5 cm (1") puis posez la première rangée de pierre. Assurez-vous que celle-ci est de niveau et d'épaisseur à peu près égale.

11. Étendez de la poussière de pierre, ou du sable, sur la première rangée. Faites un niveau grossier et posez le deuxième rang de pierre. Chaque pierre est «assise» dans la poussière de pierre, ou le sable. Vérifiez le niveau de la pierre et le niveau des pierres entre elles.

12. Installez les autres rangs de pierres tout en donnant au muret un angle vers l'arrière.

13. Au fur et à mesure que le mur prend forme, remplissez la partie arrière de pierre nette 20 mm (3/4") Ø.

14. Environ 15 cm (6") avant la fin du mur, cessez le remplissage pour pouvoir installer de la terre de culture.

15. Après avoir humecté la mousse de sphaigne, remplissez généreusement les joints.

16. Plantez des plantes alpines à quelques endroits dans les interstices, si désiré.

17. En avant et en haut du muret, préparez le sol pour recevoir des plantations ou du gazon.

Ce qu'il vous faut ?

Quels matériaux ?

- Pierre concassée 0-20 mm (0-3/4") Ø
- Membrane géotextile
- Poussière de pierre
- Pierres naturelles
- Pierre nette 20 mm (3/4") Ø
- Mousse de sphaigne
- Terre de culture
- Tuyau de drainage (facultatif) 10 cm (4") Ø

Quels outils ?

- Pioche
- Pelle
- Râteau
- Balai
- Corde
- Niveau de corde
- Niveau à bulle
- Marteau
- Petite masse
- Ciseau à froid
- Lunettes de protection
- Peinture en aérosol
- Piquets de bois
- Mètre à ruban

Quel équipement ?

- Excavatrice ou mini-excavatrice, et camion pour les travaux de grande envergure
- Plaque vibrante
- Brouette

Trucs et conseils

Pour faciliter le travail, classez les pierres par épaisseur et alternez les rangs de différentes épaisseurs. Par exemple, un rang de 7,5 cm (3"), un rang de 10 cm (4"), un rang de 7,5 cm (3") et ainsi de suite.

Le choix des pierres doit être guidé par les couleurs de l'environnement immédiat. Si vous n'avez pas encore érigé de construction dans votre jardin, la couleur doit s'harmoniser avec celle de la maison. Sinon, il faut le faire avec la couleur des matériaux existants. Si vous avez déjà de la pierre naturelle, il faut utiliser le même type que pour les autres constructions.

Certaines pierres ne sont pas d'épaisseurs égales. Utilisez le ciseau à froid et la petite masse pour les tailler. Sinon, utilisez la poussière de pierre pour les installer au niveau.

La façade du mur ne doit pas être à la verticale. Il faut lui donner un angle de recul, que l'on appelle le fruit. Celui-ci doit être de 2,5 cm (1") pour 10 cm (4") de hauteur.

Muret en bois horizontal

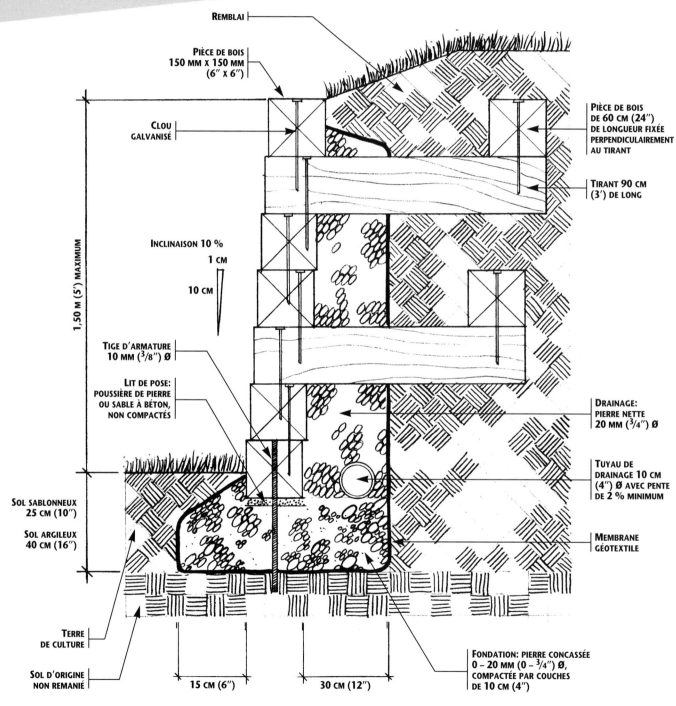

REMBLAI

PIÈCE DE BOIS 150 MM x 150 MM (6" x 6")

CLOU GALVANISÉ

PIÈCE DE BOIS DE 60 CM (24") DE LONGUEUR FIXÉE PERPENDICULAIREMENT AU TIRANT

TIRANT 90 CM (3') DE LONG

INCLINAISON 10 %
1 CM
10 CM

1,50 M (5') MAXIMUM

TIGE D'ARMATURE 10 MM (³/8") Ø

LIT DE POSE: POUSSIÈRE DE PIERRE OU SABLE À BÉTON, NON COMPACTÉS

DRAINAGE: PIERRE NETTE 20 MM (³/4") Ø

TUYAU DE DRAINAGE 10 CM (4") Ø AVEC PENTE DE 2 % MINIMUM

SOL SABLONNEUX 25 CM (10")

SOL ARGILEUX 40 CM (16")

MEMBRANE GÉOTEXTILE

TERRE DE CULTURE

SOL D'ORIGINE NON REMANIÉ

15 CM (6")

30 CM (12")

FONDATION: PIERRE CONCASSÉE 0 – 20 MM (0 – ³/4") Ø, COMPACTÉE PAR COUCHES DE 10 CM (4")

DÉTAIL DE CONSTRUCTION

Comment faire?

1. À l'aide de piquets et d'une corde, ou de peinture en aérosol, délimitez la forme du muret sur le sol. Prévoyez 90 cm (3') de large pour recevoir les morceaux de bois ainsi que la pierre nette qui sert de drainage.

2. À quelques centimètres en avant du muret, plantez un piquet de bois plus haut que la hauteur totale du muret.

3. Avec la corde et le niveau de corde, déterminez le point le plus haut du muret et indiquez cette mesure sur le piquet.

4. Excavez la terre à la base du futur muret. La profondeur de l'excavation est de 25 cm (10") dans les sols sablonneux, et de 40 cm (16") dans les sols argileux.

5. Installez la membrane géotextile sur le sol, sous la fondation, et en arrière du muret.

6. Installez 10 cm (4") de pierre concassée 0-20 mm (0-$^3/_4$") Ø et compactez à l'aide d'une plaque vibrante.

7. Recommencez cette opération jusqu'à ce que vous ayez obtenu vos 17 cm (6 $^1/_2$") de fondation dans un sol sablonneux, et 32 cm (13") dans un sol argileux.

8. Installez un drain agricole de 10 cm (4") pour les murs de plus de 90 cm (3') de haut.

9. Calculez la hauteur finale du muret et divisez par la dimension réelle (et non nominale) des morceaux de bois pour obtenir le nombre de rangées.

10. Installez un lit de pose de 1 cm ($\pm\,^1/_2$") pour le premier morceau de bois. Ce lit, fait de poussière de pierre, doit être situé à au moins 7,5 cm (3") en des sous du niveau du sol. Il doit être installé de manière à permettre que les morceaux du haut arrivent au niveau désiré. Plus l'épaisseur des morceaux de bois est grande, plus cette opération est importante.

11. Retenez les morceaux de la base à l'aide de tiges d'armature. Celles-ci sont enfoncées dans le bois après que vous ayez pratiqué un trou à l'aide d'une perceuse.

12. Installez le morceau de bois suivant en ayant soin de le décaler vers l'arrière. L'inclinaison doit être d'environ 10 %. Assurez-vous que les joints (les bouts des pièces de bois) ne sont pas vis-à-vis. Utilisez des clous une fois et demie plus longs que l'épaisseur du morceau de bois.

13. Au troisième rang, et tous les 2,4 m (8') maximum, installez, perpendiculairement, un tirant de 90 cm (3') de long. À cette pièce de bois, fixez, à l'autre extrémité et dans le même sens que le mur, une pièce de bois de 60 cm (24") de longueur.

14. Continuez à monter le mur en respectant l'inclinaison et la pose de tirants. Prenez soin de décaler ceux-ci pour donner encore plus de résistance au mur. Il faut absolument éviter qu'ils soient tous situés sur la même ligne.

15. Au fur et à mesure que le mur prend forme, remplissez la partie arrière de pierre nette 20 mm ($^3/4$") Ø.

16. Environ 10 cm (4") avant la fin du mur, cessez le remplissage et refermez la toile géotextile pour pouvoir installer de la terre de culture.

17. Traitez les bouts de bois ayant été sciés avec un préservateur.

18. En avant et en haut du muret, mettez de la terre de culture pour recevoir des plantations ou du gazon.

Ce qu'il vous faut?

Quels matériaux ?

- Bois 150 mm x 150 mm (6" x 6")
- Tige d'armature 10 mm ($^3/8$") Ø
- Clou galvanisé
- Poussière de pierre ou sable à béton
- Pierre concassée 0-20 mm (0-$^3/4$") Ø
- Membrane géotextile
- Pierre nette 20 mm ($^3/4$") Ø
- Terre de culture
- Gazon en plaques ou végétaux
- Préservateur
- Tuyau de drainage 10 cm (4") Ø

Quels outils ?

- Pioche
- Râteau
- Corde
- Niveau à bulle
- Petite masse
- Lunettes de protection
- Peinture en aérosol
- Pelle
- Balai
- Niveau de corde
- Marteau
- Masse
- Pinceau
- Mètre à ruban
- Piquets de bois

Quel équipement ?

- Excavatrice ou mini-excavatrice, et camion pour les travaux de grande envergure
- Plaque vibrante
- Scie à chaîne
- Brouette
- Perceuse

Trucs et conseils

Quel que soit votre type de sol, l'installation d'une bande de drainage à l'arrière du muret est primordiale. En effet, il est indispensable d'évacuer rapidement l'eau en arrière du muret pour éviter le pourrissement du bois.

Si une accumulation d'eau gèle en arrière du muret, elle va gonfler et pousser le mur, ce qui risque de le faire tomber.

Pour assurer une plus grande longévité à votre muret, utilisez du bois traité au CCA-C50.

Escalier en pierres naturelles

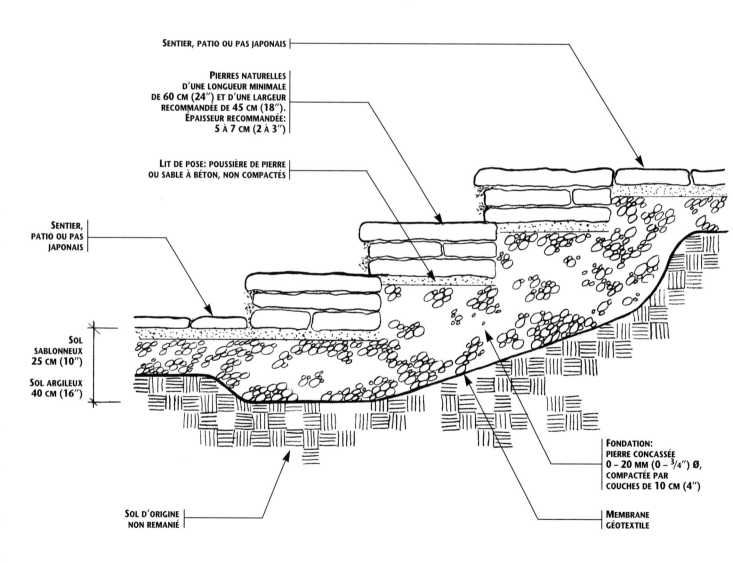

SENTIER, PATIO OU PAS JAPONAIS

PIERRES NATURELLES
D'UNE LONGUEUR MINIMALE
DE 60 CM (24") ET D'UNE LARGEUR
RECOMMANDÉE DE 45 CM (18").
ÉPAISSEUR RECOMMANDÉE:
5 À 7 CM (2 À 3")

LIT DE POSE: POUSSIÈRE DE PIERRE
OU SABLE À BÉTON, NON COMPACTÉS

SENTIER,
PATIO OU PAS
JAPONAIS

SOL
SABLONNEUX
25 CM (10")

SOL ARGILEUX
40 CM (16")

SOL D'ORIGINE
NON REMANIÉ

FONDATION:
PIERRE CONCASSÉE
0 – 20 MM (0 – 3/4") Ø,
COMPACTÉE PAR
COUCHES DE 10 CM (4")

MEMBRANE
GÉOTEXTILE

DÉTAIL DE CONSTRUCTION

Comment faire?

1. Délimitez l'emplacement de l'escalier sur le sol. Prévoyez 30 cm (12") de plus de chaque côté pour faciliter le travail.

2. À quelques centimètres en avant de l'escalier, plantez un piquet de bois plus haut que la hauteur totale de l'escalier.

3. Avec la corde et le niveau de corde, déterminez le point le plus haut de l'escalier et indiquez cette mesure sur le piquet.

4. Excavez l'emplacement de l'escalier sur une profondeur de 25 cm (10") dans les sols sablonneux, et 40 cm (16") dans les sols argileux.

5. Installez la membrane géotextile sur le sol.

6. Installez 10 cm (4") de pierre concassée 0-20 mm (0-3/4") Ø et compactez à l'aide d'une plaque vibrante.

7. Recommencez cette opération jusqu'à ce que vous ayez obtenu une couche de fondation de 23 cm (9") dans un sol sablonneux, et de 38 cm (15") dans un sol argileux.

8. Calculez la hauteur finale de l'escalier pour pouvoir définir la hauteur et la profondeur de chaque marche (voir à la page 33).

9. Installez le lit de pose de la première marche. Il doit être situé à environ 2,5 cm (1") en dessous du niveau du sol de manière à ce que la première pierre soit partiellement enterrée.

10. Installez la première pierre de niveau. Recouvrez-la de poussière de pierre pour venir asseoir la deuxième pierre. Procédez ainsi jusqu'à ce que vous ayez obtenu la hauteur de la marche désirée. Pour faciliter votre travail, choisissez pour chaque marche des pierres qui, une fois posées, donnent l'épaisseur totale désirée (hauteur calculée de la contremarche).

11. En arrière de la première marche, complétez la fondation en prenant soin de ne pas déplacer les pierres lors de la compaction. Laissez suffisamment d'espace pour permettre la mise en place d'un lit de pose.

12. Installez le lit de pose de manière à ce que la première pierre de la deuxième marche repose sur la pierre supérieure de la première marche.

13. Répétez cette opération jusqu'à ce que vous ayez obtenu le nombre de marches souhaité.

14. En avant de la première et en arrière de la dernière marche, installez des pas japonais, un sentier ou un patio.

15. Remblayez les côtés de l'escalier avec de la terre de culture et faites des plantations ou posez du gazon en plaques.

Ce qu'il vous faut?

Quels matériaux?

- Pierres naturelles
- Poussière de pierre ou sable à béton
- Pierre concassée 0-20 mm (0-3/4") Ø
- Membrane géotextile
- Terre de culture
- Gazon en plaques ou végétaux

Quels outils?

- Pioche
- Pelle
- Râteau
- Balai
- Corde
- Niveau de corde
- Niveau à bulle
- Marteau
- Petite masse
- Ciseau à froid
- Lunettes de protection
- Piquets de bois
- Mètre à ruban

Quel équipement?

- Excavatrice ou mini-excavatrice, et camion pour les travaux de grande envergure
- Plaque vibrante ou jumping jack
- Brouette

Trucs et conseils

Pour obtenir un escalier qui résiste au temps, il est indispensable que vous utilisiez des pierres de bonnes dimensions. Idéalement, les contremarches d'un escalier de 1,20 m (4') de large doivent être confectionnées avec deux pierres par rangée. Quand cela est possible, utilisez une seule pierre sur le dessus de la marche.

Les escaliers en pierres naturelles peuvent être facilement intégrés aux murets de pierre. Au moment de la construction, il est conseillé de construire ces deux éléments en même temps. Le muret peut alors servir de support à la marche, ou de côté, suivant le design. Lors d'un tel aménagement, il faut veiller à ce que les pierres de l'escalier soient intimement liées au muret. Il en va à la fois de l'esthétisme et de la solidité de l'ensemble.

Pour vous faciliter le travail, triez vos pierres avant de commencer à construire votre escalier. Toutes les pierres ayant 60 cm (24") et plus de long et 45 cm (18") et plus de large sont mises de côté pour servir de partie supérieure à la marche. Les pierres plus petites servent à construire la contremarche.

Escalier en pierres à rocaille

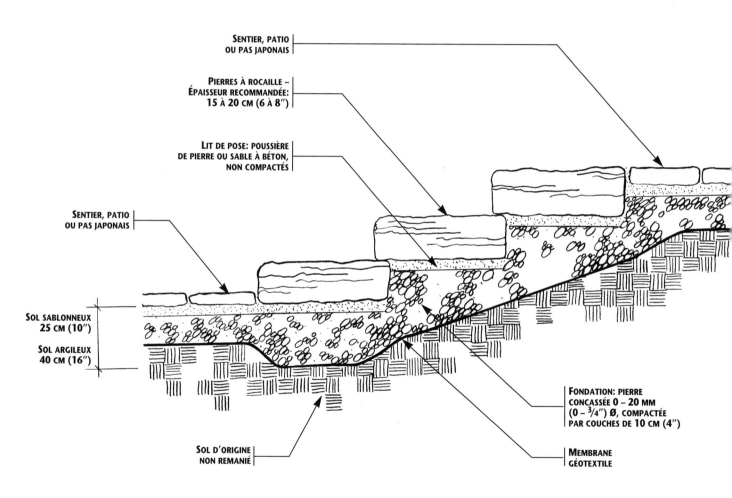

SENTIER, PATIO
OU PAS JAPONAIS

PIERRES À ROCAILLE –
ÉPAISSEUR RECOMMANDÉE:
15 À 20 CM (6 À 8")

LIT DE POSE: POUSSIÈRE
DE PIERRE OU SABLE À BÉTON,
NON COMPACTÉS

SENTIER, PATIO
OU PAS JAPONAIS

SOL SABLONNEUX
25 CM (10")

SOL ARGILEUX
40 CM (16")

FONDATION: PIERRE
CONCASSÉE 0 – 20 MM
(0 – 3/4") Ø, COMPACTÉE
PAR COUCHES DE 10 CM (4")

SOL D'ORIGINE
NON REMANIÉ

MEMBRANE
GÉOTEXTILE

DÉTAIL DE CONSTRUCTION

Comment faire?

1. Délimitez l'emplacement de l'escalier sur le sol. Prévoyez 30 cm (12") de plus de chaque côté pour faciliter le travail.

2. À quelques centimètres en avant de l'escalier, plantez un piquet de bois plus haut que la hauteur totale de l'escalier.

3. Avec la corde et le niveau de corde, déterminez le point le plus haut de l'escalier et indiquez cette mesure sur le piquet.

4. Excavez l'emplacement de l'escalier sur une profondeur de 25 cm (10") dans les sols sablonneux, et de 40 cm (16") dans les sols argileux.

5. Installez la membrane géotextile sur le sol.

6. Installez 10 cm (4") de pierre concassée 0-20 mm (0-3/4") Ø et compactez à l'aide d'une plaque vibrante.

7. Recommencez cette opération jusqu'à ce que vous ayez obtenu une couche de fondation de 20 cm (8") dans un sol sablonneux, et de 35 cm (14") dans un sol argileux.

8. Calculez la hauteur finale de l'escalier pour pouvoir définir la hauteur et la profondeur de chaque marche (voir à la page 33).

9. Installez le lit de pose de la première marche. Son niveau le plus haut doit être situé à environ 2,5 cm (1") en dessous du niveau du sol, de manière à ce que la première pierre soit partiellement enterrée.

10. Installez la première pierre de niveau. Celle-ci doit être plus épaisse que les autres puisque sa base doit être enterrée de 2,5 cm (1").

11. En arrière de la première marche, complétez la fondation en prenant soin de ne pas déplacer la première pierre lors de la compaction. Laissez suffisamment d'espace pour permettre la mise en place d'un lit de pose.

12. Installez le lit de pose de manière à ce que la pierre de la deuxième marche repose sur la première marche.

13. Répétez cette opération jusqu'à ce que vous ayez obtenu le nombre de marches souhaité.

14. En avant de la première et en arrière de la dernière marche, installez des pas japonais, un sentier ou un patio.

15. Remblayez les côtés de l'escalier avec de la terre de culture et faites des plantations ou posez du gazon en plaques.

Ce qu'il vous faut?

Quels matériaux?

- Pierres à rocaille
- Poussière de pierre ou sable à béton
- Pierre concassée 0-20 mm (0-3/4") Ø
- Membrane géotextile
- Terre de culture
- Gazon en plaques ou végétaux

Quels outils?

- Pioche
- Pelle
- Râteau
- Corde
- Niveau de corde
- Niveau à bulle
- Marteau
- Petite masse
- Ciseau à froid
- Lunettes de protection
- Boyau d'arrosage
- Piquets de bois
- Barre à mine
- Feuille de contreplaqué ou planches de bois
- Cordes ou chaînes
- Mètre à ruban

Quel équipement?

- Excavatrice ou mini-excavatrice, et camion pour les travaux de grande envergure
- Une plaque vibrante ou pilonneuse
- Brouette
- Chariot ou diable pour pierres à rocaille

Trucs et conseils

L'installation d'un escalier en pierres à rocaille nécessite beaucoup de précautions. Vous travaillez alors avec des pierres très lourdes et des consignes de sécurité s'imposent, notamment pour ce qui est des maux de dos. Évitez donc de forcer. Utilisez plutôt la barre à mine pour déplacer la pierre par petits sauts. S'il faut remonter la pierre, utilisez une feuille de contreplaqué (ou des planches que vous humidifiez) et sur laquelle vous faites glisser la pierre. En tout temps, cordes et chaînes doivent être bien arrimées.

Si vous décidez d'installer ce type d'escalier à travers une rocaille, ce qui est d'ailleurs très beau, assurez-vous d'utiliser le même type de pierre. Aussi, respectez le sens de la pierre (voir la rubrique «Rocaille») et intégrez l'escalier et la rocaille en la construisant en même temps. Une très grosse pierre peut à la fois servir de marche et se prolonger dans la rocaille.

Escalier en bois plein

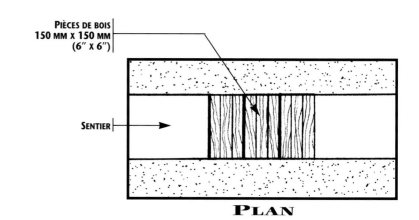

PIÈCES DE BOIS
150 MM X 150 MM
(6" X 6")

SENTIER

PLAN

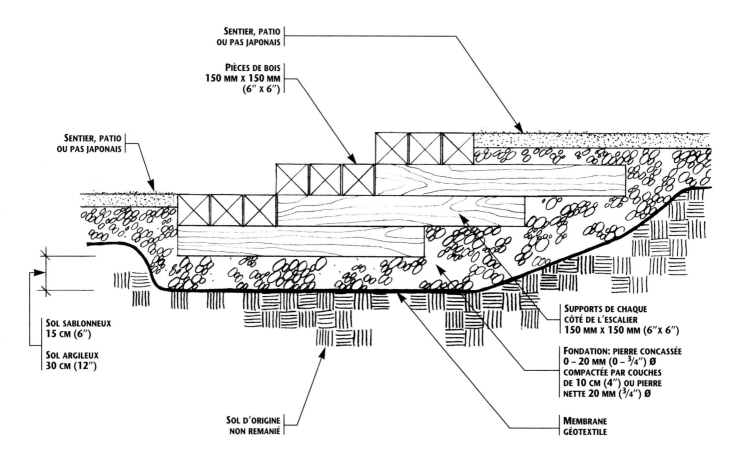

SENTIER, PATIO
OU PAS JAPONAIS

PIÈCES DE BOIS
150 MM X 150 MM
(6" X 6")

SENTIER, PATIO
OU PAS JAPONAIS

SOL SABLONNEUX
15 CM (6")

SOL ARGILEUX
30 CM (12")

SOL D'ORIGINE
NON REMANIÉ

SUPPORTS DE CHAQUE
CÔTÉ DE L'ESCALIER
150 MM X 150 MM (6"X 6")

FONDATION: PIERRE CONCASSÉE
0 – 20 MM (0 – $^3/_4$") Ø
COMPACTÉE PAR COUCHES
DE 10 CM (4") OU PIERRE
NETTE 20 MM ($^3/_4$") Ø

MEMBRANE
GÉOTEXTILE

DÉTAIL DE CONSTRUCTION

Comment faire ?

1. Délimitez l'emplacement de l'escalier sur le sol. Prévoyez 30 cm (12") de plus de chaque côté pour faciliter le travail. L'implantation doit avoir 90 cm (3') plus long que l'escalier pour installer les supports.

2. À quelques centimètres en avant de l'escalier, plantez un piquet de bois plus haut que la hauteur totale de l'escalier.

3. Avec la corde et le niveau de corde, déterminez le point le plus haut de l'escalier et indiquez cette mesure sur le piquet.

4. Excavez l'emplacement de l'escalier sur une profondeur de 45 cm (18") dans les sols sablonneux, et de 60 cm (24") dans les sols argileux.

5. Installez la membrane géotextile sur le sol.

6. Installez 10 cm (4") de pierre concassée 0-20 mm (0-3/4") Ø et compactez à l'aide d'une plaque vibrante.

7. Recommencez cette opération jusqu'à ce que vous ayez obtenu une couche de fondation de 15 cm (6") dans un sol sablonneux, et 30 cm (12") dans un sol argileux.

8. Calculez la hauteur finale de l'escalier pour pouvoir définir la hauteur et la profondeur de chaque marche (voir à la page 33).

9. Installez de niveau, transversalement aux marches, deux supports en 150 mm x 150 mm (6" x 6") qui ont 1,20 m (48") de long. Ces deux supports doivent permettre à la première marche d'être au niveau du sol (attention à la mesure réelle du bois).

10. Remplissez de pierre nette 20 mm (3/4") Ø l'espace ainsi créé.

11. Transversalement à ces deux supports, clouez, avec au moins deux clous, trois morceaux de 150 mm x 150 mm (6" x 6") sur toute la largeur de l'escalier.

12. En arrière de la marche et sur les supports, installez deux nouveaux supports en 150 mm x 150 mm (6" x 6") de 1,20 m (48") de long.

13. Remplissez de pierre nette 20 mm (3/4") Ø l'espace ainsi créé.

14. Installez, transversalement à ces deux supports, trois morceaux de 150 mm x 150 mm (6" x 6") sur toute la largeur de l'escalier. Répétez ces opérations à chaque marche jusqu'à ce que vous ayez atteint la dernière marche.

15. En avant de la première et en arrière de la dernière marche, installez des pas japonais, un sentier ou un patio.

16. Remblayez les côtés de l'escalier avec de la terre de culture et faites des plantations ou posez du gazon en plaques.

Ce qu'il vous faut ?

Quels matériaux ?

- Bois 150 mm x 150 mm (6" x 6")
- Pierre concassée 0-20 mm (0-3/4") Ø
- Pierre nette 20 mm (3/4") Ø
- Membrane géotextile
- Terre de culture
- Gazon en plaques ou végétaux
- Clou de 23 cm (9")

Quels outils ?

- Pioche
- Pelle
- Râteau
- Balai
- Corde
- Niveau de corde
- Niveau à bulle
- Marteau
- Masse
- Lunettes de protection
- Piquets de bois
- Mètre à ruban

Quel équipement ?

- Excavatrice ou mini-excavatrice, et camion pour les travaux de grande envergure
- Plaque vibrante
- Scie à chaîne
- Équipement de menuiserie (raboteuse, perceuse, etc.)

Trucs et conseils

Si vous avez de la difficulté à ajuster le nombre de marches avec la hauteur, et comme il est complexe et coûteux de modifier la dénivelée, il vaut mieux modifier la profondeur de la marche. Cela peut nécessiter de déplacer le mur ou de commencer la rocaille ou l'aménagement du talus un peu plus en avant. Calculez donc le nombre de marches de votre escalier avant de construire le mur.

⌧

Un escalier en bois plein s'agence bien avec des murets en bois ou des patios en pavés de béton. Dans le cas des murets d'escalier en bois, il faut utiliser le bois de la même dimension pour les deux constructions. Il faut aussi se servir des supports de l'escalier pour assurer la stabilité du muret.

⌧

Escalier en bois ajouré

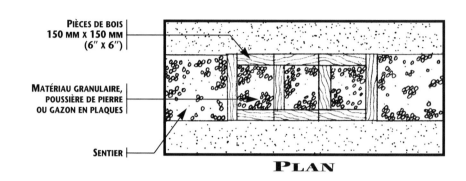

PIÈCES DE BOIS
150 MM X 150 MM
(6" X 6")

MATÉRIAU GRANULAIRE,
POUSSIÈRE DE PIERRE
OU GAZON EN PLAQUES

SENTIER

PLAN

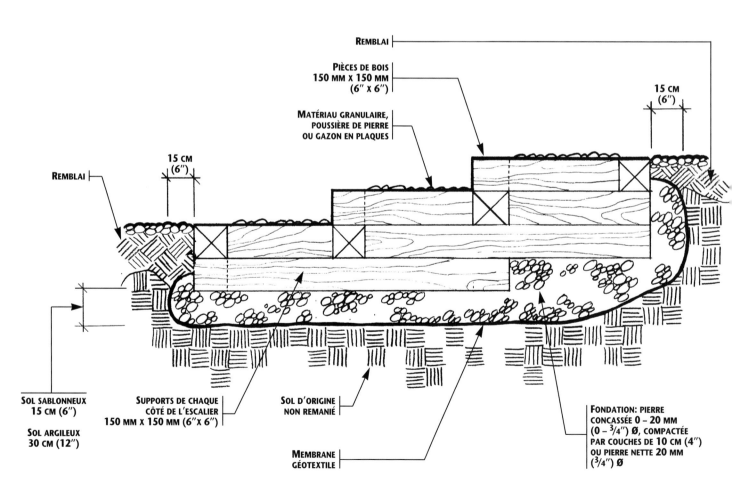

REMBLAI

PIÈCES DE BOIS
150 MM X 150 MM
(6" X 6")

MATÉRIAU GRANULAIRE,
POUSSIÈRE DE PIERRE
OU GAZON EN PLAQUES

15 CM
(6")

REMBLAI

15 CM
(6")

SOL SABLONNEUX
15 CM (6")

SOL ARGILEUX
30 CM (12")

SUPPORTS DE CHAQUE
CÔTÉ DE L'ESCALIER
150 MM X 150 MM (6"X 6")

SOL D'ORIGINE
NON REMANIÉ

MEMBRANE
GÉOTEXTILE

FONDATION: PIERRE
CONCASSÉE 0 – 20 MM
(0 – 3/4") Ø, COMPACTÉE
PAR COUCHES DE 10 CM (4")
OU PIERRE NETTE 20 MM
(3/4") Ø

DÉTAIL DE CONSTRUCTION

Comment faire?

1. Délimitez l'emplacement de l'escalier sur le sol. Prévoyez 30 cm (12") de plus de chaque côté pour faciliter le travail. L'implantation doit avoir 90 cm (3') de plus en longueur que l'escalier pour installer les supports.

2. À quelques centimètres en avant de l'escalier, plantez un piquet de bois plus haut que la hauteur totale de l'escalier.

3. Avec la corde et le niveau de corde, déterminez le point le plus haut de l'escalier et indiquez cette mesure sur le piquet.

4. Excavez l'emplacement de l'escalier sur 45 cm (18") dans les sols sablonneux, et sur 60 cm (24") dans les sols argileux.

5. Installez la membrane géotextile sur le sol.

6. Installez 10 cm (4") de pierre concassée 0-20 mm (0-³/4") Ø et compactez à l'aide d'une plaque vibrante.

7. Recommencez cette opération jusqu'à ce que vous ayez obtenu une couche de fondation de 15 cm (6") dans un sol sablonneux, et de 30 cm (12") dans un sol argileux.

8. Calculez la hauteur de la dénivellation, ce qui vous permet de définir la hauteur de la contremarche et la profondeur de chaque marche (voir à la page 33).

9. Installez, de niveau, transversalement aux marches, deux supports en 150 mm x 150 mm (6" x 6") qui ont environ 1,20 m (48") de long. Ces deux supports doivent permettre que la première marche soit au niveau du sol (attention à la mesure réelle du bois).

10. Remplissez l'espace ainsi créé de pierre nette 20 mm (³/4") Ø.

11. Transversalement et sur les deux supports, clouez, avec au moins deux clous, quatre morceaux de 150 mm x 150 mm (6" x 6"). Prenez soin de croiser les joints (les bouts des morceaux de bois).

12. En arrière de la marche et sur les supports, installez deux nouveaux supports en 150 mm x 150 mm (6" x 6") d'environ 1,20 m (48") de long.

13. Remplissez de pierre nette 20 mm (³/4") Ø l'espace ainsi créé.

14. Installez, transversalement et sur les deux supports, quatre morceaux de 150 mm x 150 mm (6" x 6"). Répétez ces opérations à chaque marche, jusqu'à ce que vous ayez atteint la plus haute marche.

15. Remplissez chaque carré ainsi créé de matériau granulaire, de poussière de pierre ou de terre de culture. Dans ce dernier cas, posez du gazon en plaques.

16. En avant de la première et en arrière de la dernière marche, installez des pas japonais, un sentier ou un patio.

17. Remblayez les côtés de l'escalier avec de la terre de culture et faites des plantations ou posez du gazon en plaques.

Ce qu'il vous faut?

Quels matériaux?

- Bois 150 mm x 150 mm (6" x 6")
- Pierre concassée 0-20 mm (0-³/4") Ø
- Pierre nette 20 mm (³/4") Ø
- Matériau granulaire, poussière de pierre ou gazon en plaques
- Membrane géotextile
- Terre de culture
- Clou de 23 cm (9")

Quels outils?

- Pioche
- Pelle
- Râteau
- Balai
- Corde
- Niveau de corde
- Niveau à bulle
- Mètre à ruban
- Marteau
- Petite masse
- Lunettes de protection
- Piquets de bois
- Coffre de menuiserie (équerre, tournevis, marteau, etc.)
- Masse

Quel équipement?

- Excavatrice ou mini-excavatrice, et camion pour les travaux de grande envergure
- Plaque vibrante
- Brouette
- Équipement de menuiserie (sableuse, scie circulaire, perceuse, etc.)
- Scie à chaîne

Trucs et conseils

Si vous choisissez d'installer du matériau granulaire, assurez-vous qu'il est agréable de marcher dessus. Un matériau trop grossier peut rendre la marche difficile et même provoquer des accidents.

Le matériau granulaire choisi doit bien s'harmoniser avec les autres matériaux présents dans le jardin. Pour les jardins d'aspect très naturel, où les allées sont faites de paillis décoratif, il est possible d'utiliser aussi ce type de matériau à l'intérieur des carrés.

Pergola

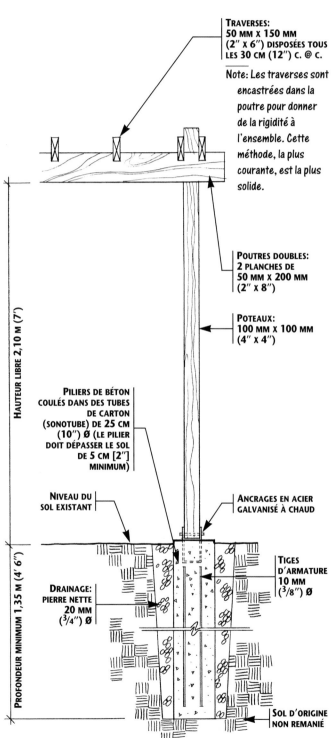

TRAVERSES:
50 MM X 150 MM
(2" X 6") DISPOSÉES TOUS
LES 30 CM (12") C. @ C.

Note: Les traverses sont
encastrées dans la
poutre pour donner
de la rigidité à
l'ensemble. Cette
méthode, la plus
courante, est la plus
solide.

POUTRES DOUBLES:
2 PLANCHES DE
50 MM X 200 MM
(2" X 8")

POTEAUX:
100 MM X 100 MM
(4" X 4")

PILIERS DE BÉTON
COULÉS DANS DES TUBES
DE CARTON
(SONOTUBE) DE 25 CM
(10") Ø (LE PILIER
DOIT DÉPASSER LE SOL
DE 5 CM [2"]
MINIMUM)

HAUTEUR LIBRE 2,10 M (7')

NIVEAU DU
SOL EXISTANT

ANCRAGES EN ACIER
GALVANISÉ À CHAUD

DRAINAGE:
PIERRE NETTE
20 MM
(³/4") Ø

TIGES
D'ARMATURE
10 MM
(³/8") Ø

PROFONDEUR MINIMUM 1,35 M (4' 6")

SOL D'ORIGINE
NON REMANIÉ

COUPE – ÉLÉVATION DE FACE

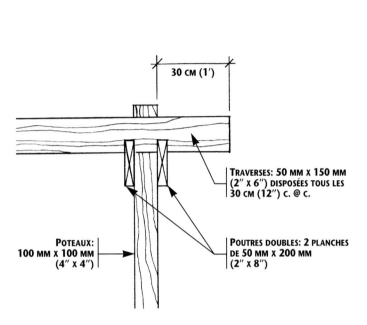

30 CM (1')

TRAVERSES: 50 MM X 150 MM
(2" X 6") DISPOSÉES TOUS LES
30 CM (12") C. @ C.

POTEAUX:
100 MM X 100 MM
(4" X 4")

POUTRES DOUBLES: 2 PLANCHES
DE 50 MM X 200 MM
(2" X 8")

DÉTAIL – ASSEMBLAGE
DES POUTRES ENCASTRÉES

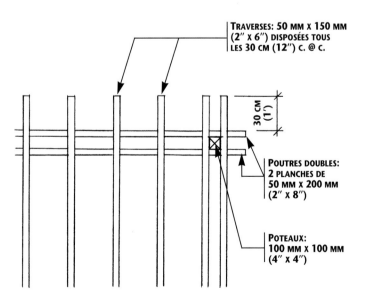

TRAVERSES: 50 MM X 150 MM
(2" X 6") DISPOSÉES TOUS
LES 30 CM (12") C. @ C.

30 CM (1')

POUTRES DOUBLES:
2 PLANCHES DE
50 MM X 200 MM
(2" X 8")

POTEAUX:
100 MM X 100 MM
(4" X 4")

PLAN

Comment faire ?

1. À l'aide de piquets, identifiez l'emplacement des poteaux sur le sol. Assurez-vous que ceux-ci sont bien à égale distance les uns des autres.

2. Creusez des trous de 1,35 m (4' 6") de profond.

3. Installez le sonotube de manière à ce que l'ancrage, une fois placé, soit au moins à 50 mm (2") du sol. Remplissez le trou, autour du sonotube, de pierre nette 20 mm (3/4") Ø.

4. Coulez le béton dans les sonotubes et installez les ancrages. Assurez-vous qu'ils sont tous au même niveau. Laissez sécher au moins 24 heures pour que le béton prenne bien.

5. Installez les poteaux en les maintenant avec des supports temporaires.

6. Mettez en place les poutres doubles en ayant soin d'avoir fait préalablement les encoches.

7. Installez les traverses en les encastrant dans les poutres.

8. Enlevez les supports temporaires et solidifiez tous les éléments.

9. Faites les travaux de finition ou ajoutez les éléments complémentaires (treillis, banc, etc.), si désiré.

Ce qu'il vous faut ?

Quels matériaux ?

- Bois 50 mm x 150 mm (2" x 6")
- Bois 50 mm x 200 mm (2" x 8")
- Bois 100 mm x 100 mm (4" x 4")
- Ancrages en métal galvanisé à chaud
- Béton en sac
- Tubes de carton (sonotube) de 25 cm (10") Ø
- Tiges d'armature 10 mm (3/8") Ø
- Pierre nette 20 mm (3/4") Ø
- Clou

Quels outils ?

- Pioche
- Pelle
- Râteau
- Balai
- Corde
- Niveau de corde
- Niveau à bulle
- Mètre à ruban
- Marteau
- Petite masse
- Ciseau à froid
- Lunettes de protection
- Piquets de bois
- Coffre de menuiserie (équerre, tournevis, marteau, etc.)

Quel équipement ?

- Brouette
- Équipement de menuiserie (sableuse, scie circulaire, perceuse, etc.)
- Scie à chaîne
- Plateau de sciage (banc de scie)
- Tarière
- Creuse-trou

Trucs et conseils

La pergola est un élément important du jardin. Avant même de déterminer sa grandeur, identifiez avec soin sa destination. Est-ce une pergola pour un patio principal? Est-ce une pergola pour un coin repos? C'est, le plus souvent, la destination finale du projet qui guide les dimensions de la pergola.

Votre pergola sera plus belle si vous y ajoutez des treillis sur les côtés ou sur le toit. C'est ainsi que vous créerez de l'intimité. Vous devez coordonner le choix des treillis avec le style de la pergola. Aussi, certains treillis doivent être construits en même temps que la pergola. Il ne faut pas l'oublier.

Un bon moyen d'intégrer la pergola au reste du jardin est de la recouvrir de végétation. À cet effet, les plantes grimpantes sont idéales. Lierre de Boston, vigne vierge, chèvrefeuille, clématite, etc; permettent de créer une atmosphère tout à fait particulière.

Si vous êtes à la recherche de modèles originaux de pergolas et de treillis, consultez **Construire sa pergola**, un document écrit par les auteurs du présent ouvrage.

Carré de sable

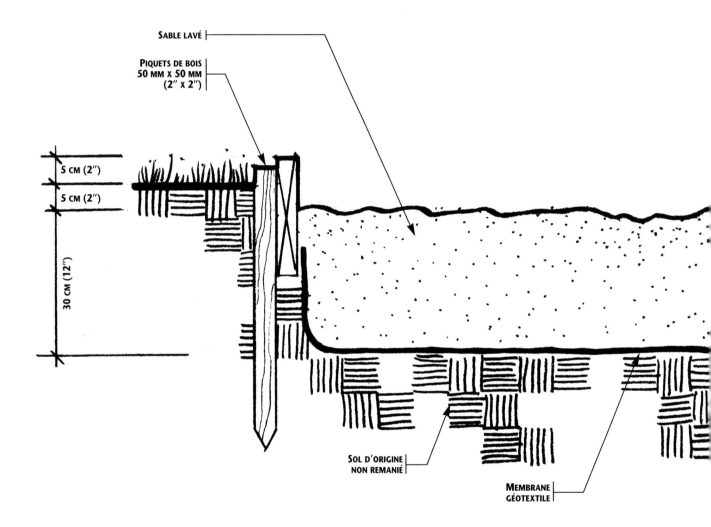

SABLE LAVÉ

PIQUETS DE BOIS 50 MM X 50 MM (2″ X 2″)

5 CM (2″)

5 CM (2″)

30 CM (12″)

SOL D'ORIGINE NON REMANIÉ

MEMBRANE GÉOTEXTILE

DÉTAIL DE CONSTRUCTION

Comment faire ?

1. À l'aide de piquets et d'une corde, ou de peinture en aérosol, marquez la forme du bac à sable sur le sol.

2. Excavez sur 35 cm (14″) de profondeur. Nivelez le fond du bac.

3. Installez des cordes en carré au-dessus du futur bac à sable. Celles-ci doivent être au même niveau que les futures planches du coffrage.

4. À l'aide de piquets cloués dans les planches, mettez en place celles-ci. Assurez-vous qu'elles forment un carré parfait et qu'elles sont toutes au même niveau. Les planches doivent être environ 5 cm (2″) plus hautes que le niveau du sol.

PLANCHES DE BOIS 50 MM X 250 MM (2" X 10")

Ce qu'il vous faut ?

Quels matériaux ?

- Sable lavé
- Membrane géotextile
- Bois 50 mm x 250 mm (2" x 10")
- Bois 50 mm x 50 mm (2" x 2")
- Clou
- Terre de culture
- Gazon en plaques ou végétaux

Quels outils ?

- Pioche
- Pelle
- Râteau
- Balai
- Corde
- Niveau de corde
- Niveau à bulle
- Marteau
- Lunettes de protection
- Peinture en aérosol
- Piquets de bois
- Coffre de menuiserie (équerre, tournevis, marteau, etc.)
- Petite masse
- Mètre à ruban
- Agrafeuse commerciale

Quel équipement ?

- Brouette
- Équipement de menuiserie (sableuse, scie circulaire, perceuse, etc.)
- Plateau de sciage (banc de scie)

5. À l'aide d'une agrafeuse commerciale, installez la membrane géotextile.

6. Remplissez le bac de sable lavé en laissant un espace libre d'environ 10 cm (4") avec le haut des planches.

7. Apportez de la terre de culture et faites les réparations avec du gazon en plaques ou ajoutez des plantations.

Trucs et conseils

Votre bac à sable peut devenir rapidement une litière à chat. Pour éviter ce problème, prévoyez une toile, ou encore un cadre recouvert d'un treillis. Ceux-ci seront posés à plat sur le carré de sable.

Au moment de la construction, vous pouvez doubler la hauteur des planches et prévoir une couche drainante en pierre nette 12 mm ($^1/_2$") Ø d'environ 15 cm d'épaisseur. Après quelques années d'usage, quand les enfants ne s'y intéressent plus, il est alors facile de transformer votre bac à sable en bassin d'eau. Il vous suffit d'enlever le sable et d'ajouter une toile en PVC sur la membrane géotextile existante. Pour connaître les spécifications quant à la construction d'un bassin, consultez la rubrique «Bassin et cascade avec toile imperméable».

Un carré de sable n'est pas forcément... carré. Vous pouvez lui donner la forme que vous désirez. Il peut être rectangulaire, triangulaire, formé de deux carrés à angles, hexagonal, octogonal, etc. L'élément le plus important à considérer, c'est que sa forme doit s'intégrer à l'aménagement.

Les dimensions d'un carré de sable doivent tenir compte du nombre d'enfants qui l'utilisent. Par conséquent, au moment de la planification, il ne faut pas oublier que ce genre d'équipement «attire» tous les jeunes enfants. Sans prévoir une construction pour tous les enfants du quartier, il faut planifier un espace où trois à quatre enfants peuvent jouer à l'aise.

Dans un jardin, un carré de sable est un aménagement temporaire. Quand les enfants grandissent, ils s'en désintéressent. Il faut donc lui trouver un emplacement qui peut être modifié à peu de frais. Il faut donc prévoir une construction légère, mais solide, facile à démonter.

Clôture de bois

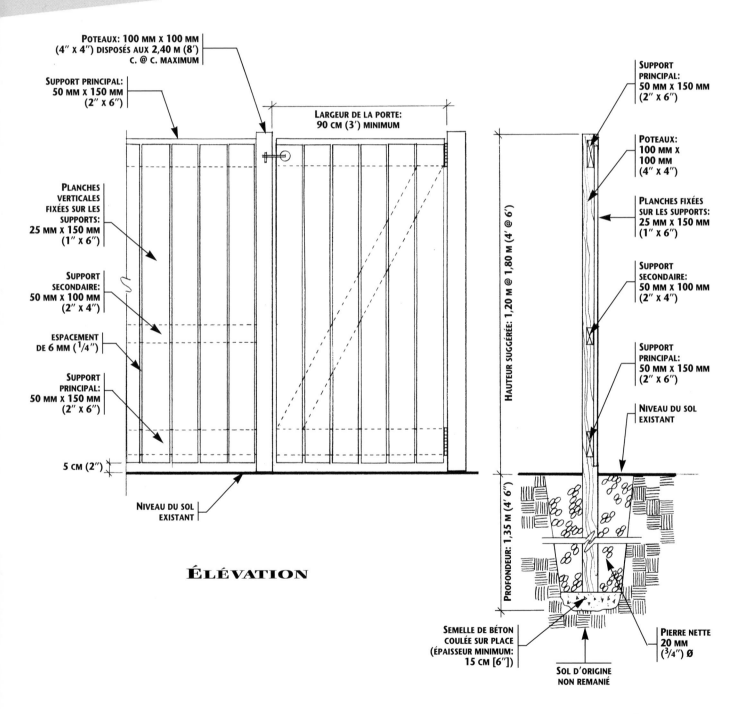

POTEAUX: 100 MM X 100 MM (4" X 4") DISPOSÉS AUX 2,40 M (8') C. @ C. MAXIMUM

SUPPORT PRINCIPAL: 50 MM X 150 MM (2" X 6")

LARGEUR DE LA PORTE: 90 CM (3') MINIMUM

PLANCHES VERTICALES FIXÉES SUR LES SUPPORTS: 25 MM X 150 MM (1" X 6")

SUPPORT SECONDAIRE: 50 MM X 100 MM (2" X 4")

ESPACEMENT DE 6 MM (¼")

SUPPORT PRINCIPAL: 50 MM X 150 MM (2" X 6")

5 CM (2")

NIVEAU DU SOL EXISTANT

ÉLÉVATION

SUPPORT PRINCIPAL: 50 MM X 150 MM (2" X 6")

POTEAUX: 100 MM X 100 MM (4" X 4")

PLANCHES FIXÉES SUR LES SUPPORTS: 25 MM X 150 MM (1" X 6")

SUPPORT SECONDAIRE: 50 MM X 100 MM (2" X 4")

SUPPORT PRINCIPAL: 50 MM X 150 MM (2" X 6")

NIVEAU DU SOL EXISTANT

HAUTEUR SUGGÉRÉE: 1,20 M @ 1,80 M (4' @ 6')

PROFONDEUR: 1,35 M (4' 6")

SEMELLE DE BÉTON COULÉE SUR PLACE (ÉPAISSEUR MINIMUM: 15 CM [6"])

SOL D'ORIGINE NON REMANIÉ

PIERRE NETTE 20 MM (¾") Ø

COUPE LATÉRALE

Comment faire?

1. À l'aide de piquets, identifiez l'emplacement des poteaux sur le sol, tout en n'oubliant pas de prévoir la ou les portes. Assurez-vous que l'implantation est correcte pour éviter les «chicanes de voisin».

2. Creusez des trous de 1,35 m (4' 6") de profondeur.

3. Faites une semelle en béton au fond de chaque trou.

4. Installez les poteaux en les maintenant avec des supports temporaires.

5. Remplissez de pierre nette 20 mm (³/4") Ø les trous qui ont reçu les poteaux. Tassez la pierre nette pour solidifier le tout.

6. Installez les supports principaux en haut et en bas.

7. Installez les supports secondaires.

8. Mettez en place les planches verticales.

9. Construisez la porte à plat en installant les supports principaux, le support secondaire en diagonale et les planches verticales. Installez les charnières puis mettez en place la porte sur le poteau de la clôture. Installez la quincaillerie.

10. Faites les travaux de finition.

Ce qu'il vous faut?

Quels matériaux?	Quels outils?	Quel équipement?
• Bois 100 mm x 100 mm (4" x 4")	• Pioche	• Brouette
• Bois 50 mm x 150 mm (2" x 6")	• Pelle	• Équipement de menuiserie (sableuse, scie circulaire, perceuse, etc.)
• Bois 50 mm x 100 mm (2" x 4")	• Râteau	• Plateau de sciage (banc de scie)
• Bois 25 mm x 150 mm (1" x 6")	• Balai	• Tarière
• Pierre nette 20 mm (³/4") Ø	• Corde	• Creuse-trou
• Béton en sac	• Niveau de corde	
• Clou	• Niveau à bulle	
	• Marteau	
	• Lunettes de protection	
	• Piquets de bois	
	• Coffre de menuiserie (équerre, tournevis, marteau, etc.)	
	• Mètre à ruban	

Bassin et cascade avec toile imperméable

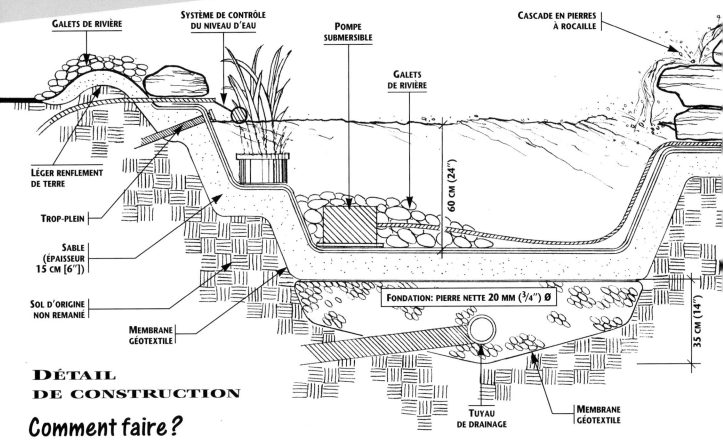

GALETS DE RIVIÈRE

SYSTÈME DE CONTRÔLE DU NIVEAU D'EAU

POMPE SUBMERSIBLE

CASCADE EN PIERRES À ROCAILLE

GALETS DE RIVIÈRE

LÉGER RENFLEMENT DE TERRE

TROP-PLEIN

SABLE (ÉPAISSEUR 15 CM [6"])

SOL D'ORIGINE NON REMANIÉ

MEMBRANE GÉOTEXTILE

60 CM (24")

35 CM (14")

FONDATION: PIERRE NETTE 20 MM (³/4") Ø

TUYAU DE DRAINAGE

MEMBRANE GÉOTEXTILE

DÉTAIL DE CONSTRUCTION

Comment faire?

1. À l'aide de piquets et d'une corde, ou de peinture en aérosol, marquez la forme du bassin sur le sol.

2. Plantez des piquets aux endroits où les niveaux changent. Indiquez ces niveaux sur les piquets. Les mesures situées au-dessus du niveau final de l'eau sont précédées d'un plus (+). Celles situées en dessous sont précédées d'un moins (−).

3. Excavez à la profondeur désirée en n'oubliant pas de prévoir de la place pour la fondation en sable ainsi que le drainage au fond du bassin. Déplacez les piquets au fur et à mesure que vous excavez. Au moment de l'excavation, la terre de déblai provenant du bassin peut servir de remblai pour créer une dénivellation pour la cascade.

4. Façonnez le bassin en lui donnant sa forme presque définitive. Vérifiez bien les niveaux pour vous assurer que la hauteur entre le futur niveau de l'eau et le bord est égale tout autour du bassin.

5. Au fond du trou d'excavation, installez la membrane géotextile, le tuyau de drainage et la fondation en pierre nette 20 mm (³/4") Ø. Refermez la membrane géotextile. Le tuyau de drainage est raccordé au puits sec (voir la rubrique «Puits sec»).

6. Installez une nouvelle membrane géotextile. Mettez en place le sable, puis façonnez la forme finale du bassin.

7. Installez une membrane géotextile non tissée, puis la toile en CPV imperméable et, à nouveau, une membrane géotextile non tissée. Au moment de cette installation, la membrane géotextile non tissée du dessus doit être coupée près du bord, alors que la toile en CPV et la membrane géotextile du dessous, doivent être prolongées sur un léger renflement de terre.

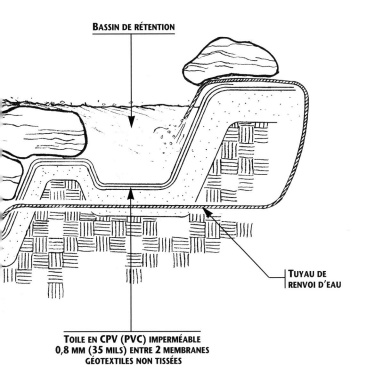

BASSIN DE RÉTENTION

TUYAU DE RENVOI D'EAU

TOILE EN CPV (PVC) IMPERMÉABLE 0,8 MM (35 MILS) ENTRE 2 MEMBRANES GÉOTEXTILES NON TISSÉES

8. Installez le tuyau de renvoi qui amène l'eau du fond du bassin principal au bassin de rétention alimentant la cascade.

9. Installez les pierres de la cascade en prenant soin de ne pas abîmer les toiles.

10. Installez la pompe, le système de contrôle du niveau d'eau (voir la rubrique «Système de contrôle du niveau d'eau») et le trop-plein (voir la rubrique «Trop-plein»).

11. Installez les pierres qui sont incorporées à même le bassin.

12. Remplissez le bassin et corrigez le niveau du bord si nécessaire. Essayez le système de pompage et faites les ajustements nécessaires. Au besoin, supprimez ou ajoutez des pierres à la cascade.

13. Une fois les ajustements faits, baissez le niveau d'eau (utilisez la pompe). Installez les pierres et les galets de rivière aux endroits souhaités sur le pourtour du bassin.

14. Ajoutez au bassin des plantes aquatiques et faites des plantations aux endroits souhaités.

15. Remplissez à nouveau le bassin.

Ce qu'il vous faut ?

Quels matériaux ?

- Pierres à rocaille
- Galets de rivière
- Toile en CPV (PVC) imperméable 0,8 mm (35 mils)
- Membrane géotextile non tissée
- Sable
- Pompe submersible
- Pierre nette 20 mm (³/₄") Ø
- Membrane géotextile
- Tuyau de drainage
- Tuyau de renvoi d'eau
- Plantes aquatiques et végétaux

Quels outils ?

- Pioche
- Pelle
- Râteau
- Balai
- Corde
- Niveau de corde
- Niveau à bulle
- Petite masse
- Lunettes de protection
- Peinture en aérosol
- Piquets de bois
- Coffre de plomberie (tournevis, colle, scie, etc.)
- Mètre à ruban
- Marteau

Quel équipement ?

- Excavatrice ou mini-excavatrice, et camion pour les travaux de grande envergure
- Brouette
- Chariot ou diable pour les pierres à rocaille

Trucs et conseils

Si vous désirez plus d'information quant à la mise en place d'un bassin en toile de CPV, vous pouvez consulter le document **Construire et entretenir son jardin d'eau** publié par Spécialités Terre à Terre.

Au moment de la construction, vous devez bien faire attention à ce que des morceaux de toile géotextile non tissée, qui sont en contact avec l'eau, ne le soient aussi avec le sol. En effet, dans ce cas, la toile sert de mèche et le niveau de l'eau du bassin diminue rapidement.

Lors du premier remplissage, l'eau de votre bassin sera trouble. Cette situation est tout à fait normale. Au bout de quelques jours, les particules de terre se déposeront dans le fond du bassin. Votre eau deviendra alors plus claire. Pour que le temps d'attente soit le plus court possible, nettoyez le bassin le mieux possible avant de le remplir.

Bassin d'eau préfabriqué rigide

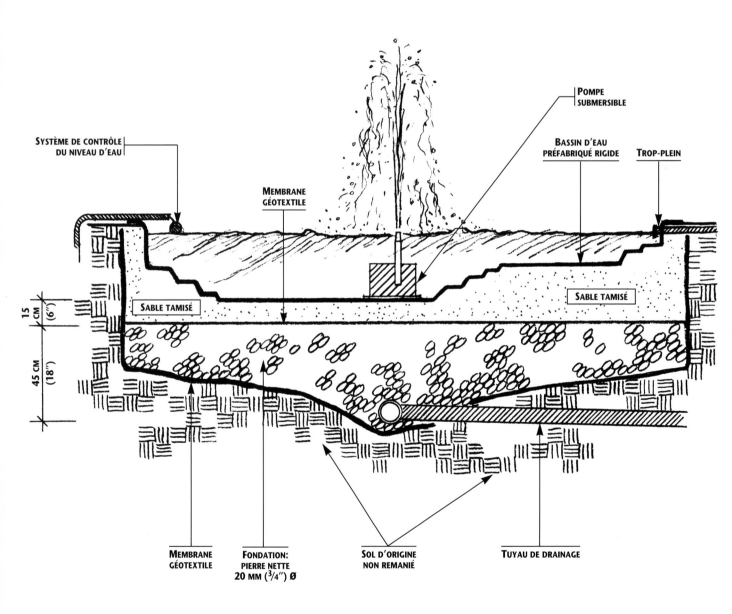

SYSTÈME DE CONTRÔLE
DU NIVEAU D'EAU

POMPE
SUBMERSIBLE

BASSIN D'EAU
PRÉFABRIQUÉ RIGIDE

TROP-PLEIN

MEMBRANE
GÉOTEXTILE

SABLE TAMISÉ

SABLE TAMISÉ

15 CM (6")

45 CM (18")

MEMBRANE
GÉOTEXTILE

FONDATION:
PIERRE NETTE
20 MM (³/₄'') Ø

SOL D'ORIGINE
NON REMANIÉ

TUYAU DE DRAINAGE

DÉTAIL DE CONSTRUCTION

Comment faire?

1. À l'aide de piquets et d'une corde, ou de peinture en aérosol, marquez la forme du bassin sur le sol.

2. Excavez à la profondeur désirée en n'oubliant pas de prévoir de la place pour la fondation en sable (15 cm [6"]) ainsi que le drainage au fond du bassin (45 cm [18"]). Prévoyez une excavation large qui vous permette de venir remplir facilement de sable les parties plus ou moins droites sous le bassin.

3. Installez une membrane géotextile qui remonte sur les parois du trou.

4. Au fond du bassin, installez le tuyau de drainage puis la fondation en pierre nette 20 mm (³/₄") Ø. Le tuyau de drainage est raccordé au puits sec (voir la rubrique «Puits sec»).

5. Installez une membrane géotextile sur la pierre nette.

6. Mettez en place le sable qui permet de façonner grossièrement la forme finale du bassin préfabriqué.

7. Installez le bassin préfabriqué rigide en vous assurant que celui-ci est bien de niveau. Remplissez bien de sable toutes les parties situées sous le bassin.

8. Installez la pompe, le système de contrôle du niveau d'eau (voir la rubrique «Système de contrôle du niveau d'eau») et le trop-plein (voir la rubrique «Trop-plein»).

9. Nettoyez le bassin de toutes ses impuretés. Plus le nettoyage est méticuleux, plus l'eau sera claire rapidement.

10. Remplissez le bassin et essayez le système de pompage. Faites les réglages nécessaires.

11. Ajoutez dans le bassin des plantes aquatiques et faites des plantations aux endroits souhaités.

Ce qu'il vous faut?

Quels matériaux?

- Sable tamisé
- Bassin d'eau préfabriqué rigide
- Pompe submersible
- Système de contrôle du niveau d'eau
- Trop-plein
- Membrane géotextile
- Pierre nette 20 mm (³/₄") Ø
- Tuyau de drainage

Quels outils?

- Pioche
- Pelle
- Râteau
- Balai
- Corde
- Niveau de corde
- Niveau à bulle
- Lunettes de protection
- Peinture en aérosol
- Piquets de bois
- Coffre de plomberie (tournevis, scie, colle, etc.)
- Masse
- Mètre à ruban
- Marteau

Quel équipement?

- Excavatrice ou mini-excavatrice, et camion pour les travaux de grande envergure
- Brouette

Trucs et conseils

Dans le cas d'un bassin d'eau préfabriqué rigide, la mise en place d'un drain est impérative. En effet, comme ces bassins sont souvent peu profonds, un surplus d'eau qui gèle sous la coque rigide la lève facilement. En plus de la fondation de drainage, il faut aussi s'assurer que l'eau récupérée par le tuyau de drainage s'écoule bien dans le puits sec.

Les bassins d'eau préfabriqués sont souvent de dimensions plutôt restreintes. C'est pourquoi il faut éviter d'y implanter un trop grand nombre de plantes aquatiques. Si vous y placez un trop grand nombre de plantes, votre bassin est rapidement envahi. Il perd alors tout son attrait.

Dans les bassins d'eau préfabriqués, souvent peu profonds, la mise en place de plantes à feuillage flottant (comme les nymphéas par exemple) est primordiale. En effet, comme le volume est restreint, au moment des grandes chaleurs, la température de l'eau monte rapidement, ce qui entraîne l'apparition d'algues. La meilleure méthode pour éviter l'échauffement de l'eau est de la recouvrir d'un ombrage. Les plantes à feuillage flottant remplissent rapidement cette fonction.

Pour minimiser le problème des algues, évitez de placer votre bassin en plein soleil. Essayez de le placer dans un endroit où il reçoit le soleil du matin ou du soir. Évitez les endroits très chauds, comme ceux qui sont en plein soleil au milieu de la journée.

Bassin avec fond en terre

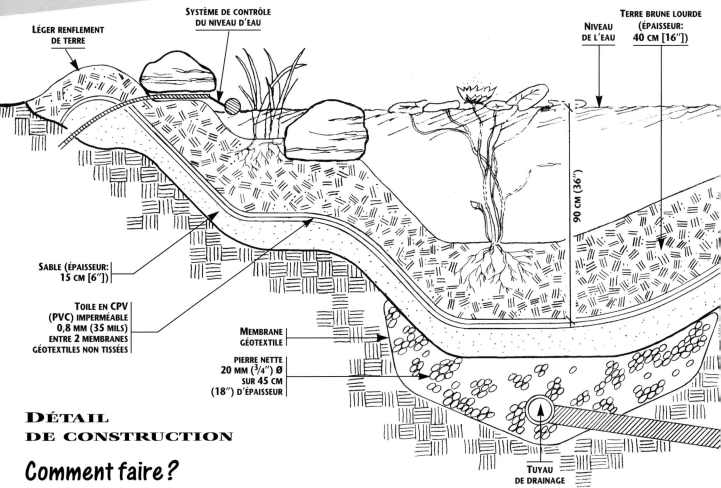

LÉGER RENFLEMENT DE TERRE

SYSTÈME DE CONTRÔLE DU NIVEAU D'EAU

NIVEAU DE L'EAU

TERRE BRUNE LOURDE (ÉPAISSEUR: 40 CM [16"])

90 CM (36")

SABLE (ÉPAISSEUR: 15 CM [6"])

TOILE EN CPV (PVC) IMPERMÉABLE 0,8 MM (35 MILS) ENTRE 2 MEMBRANES GÉOTEXTILES NON TISSÉES

MEMBRANE GÉOTEXTILE

PIERRE NETTE 20 MM (³/4") Ø SUR 45 CM (18") D'ÉPAISSEUR

TUYAU DE DRAINAGE

DÉTAIL DE CONSTRUCTION

Comment faire?

1. À l'aide de piquets et d'une corde, ou de peinture en aérosol, marquez la forme du bassin sur le sol.

2. Plantez des piquets aux endroits où les niveaux changent. Indiquez ces niveaux sur les piquets. Les mesures situées au-dessus du niveau final de l'eau sont précédées d'un plus (+). Celles situées en dessous sont précédées d'un moins (–). Évitez les pentes trop abruptes car il y aurait alors érosion de la terre brune.

3. Excavez à la profondeur désirée en n'oubliant pas de prévoir de la place pour la fondation en sable ainsi que pour le drainage au fond du bassin.

4. Façonnez le bassin en lui donnant sa forme presque définitive. Vérifiez bien les niveaux pour vous assurer que la hauteur entre le futur niveau de l'eau et le bord est égale tout autour du bassin.

5. Au fond du trou d'excavation, installez la membrane géotextile, le tuyau de drainage et la fondation en pierre nette 20 mm (³/4") Ø. Refermez la membrane géotextile.Le tuyau de drainage est raccordé au puits sec (voir la rubrique «Puits sec»).

6. Installez une nouvelle membrane géotextile. Mettez en place le sable qui permet de façonner la forme finale du bassin.

7. Installez une membrane géotextile non tissée, puis la toile en CPV imperméable et, à nouveau, une membrane géotextile non tissée. Au moment de cette installation, la membrane géotextile non tissée du dessus doit être coupée près du bord, alors que la toile en CPV et la membrane géotextile du dessous doivent être prolongées sur un léger renflement de terre.

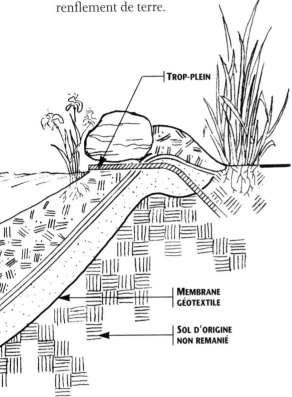

TROP-PLEIN

MEMBRANE
GÉOTEXTILE

SOL D'ORIGINE
NON REMANIÉ

8. Installez la terre brune en respectant la forme du bassin.

9. Installez les pierres qui sont incorporées à même le bassin, si désiré.

10. Installez la pompe (facultative), le système de contrôle du niveau d'eau (voir la rubrique «Système de contrôle du niveau d'eau»), et le trop-plein (voir la rubrique «Trop-plein»).

11. Remplissez le bassin et corrigez le niveau du bord, si nécessaire. Essayez le système de pompage, s'il y en a un, et faites les ajustements nécessaires.

12. Une fois les ajustements faits, baissez le niveau d'eau (utilisez la pompe). Installez les pierres et les galets de rivière aux endroits souhaités sur le pourtour du bassin.

13. Ajoutez au bassin des plantes aquatiques et faites des plantations aux endroits souhaités sur les bords du bassin.

14. Remplissez à nouveau le bassin.

Ce qu'il vous faut ?

Quels matériaux ?

- Pierres à rocaille
- Toile en CPV (PVC) imperméable 0,8 mm (35 mils)
- Galets de rivière
- Membrane géotextile non tissée
- Sable
- Plantes aquatiques et végétaux
- Terre brune lourde
- Système de contrôle du niveau d'eau
- Pierre nette 20 mm ($^3/_4$") Ø
- Membrane géotextile
- Tuyau de drainage
- Trop plein

Quels outils ?

- Pioche
- Pelle
- Râteau
- Balai
- Corde
- Niveau de corde
- Niveau à bulle
- Lunettes de protection
- Peinture en aérosol
- Piquets de bois
- Coffre de plomberie (tournevis, scie, colle, etc.)
- Mètre à ruban
- Marteau

Quel équipement ?

- Excavatrice ou mini-excavatrice, et camion pour les travaux de grande envergure
- Brouette

Trucs et conseils

Pour calculer la dimension de votre membrane, mesurez la largeur et la longueur maximale du bassin. Ajoutez, à chaque dimension, le double de la profondeur maximale plus 0,80 m (31"). Exemple: si votre bassin a 5 m (16') de long, 4 m (13') de large et 1,20 m (4') de profondeur, votre toile doit donc avoir:

- Longueur: 5 m (16') + (2 x 1,20 m [4']) + 0,80 m (31") = 8,20 m (27')
- Largeur: 4 m (13') + (2 x 1,20 m [4']) + 0,80 m (31") = 7,20 m (24')

Chaque membrane géotextile non tissée a les mêmes dimensions que celles que vous avez calculées.

Si vous décidez d'introduire des poissons dans un bassin avec fond en terre, il faut savoir que l'eau sera toujours brouillée. En effet, les poissons frottent leur ventre sur le sol, ce qui libère des particules de terre qui sont alors en suspension dans l'eau. Les carpes japonaises (Koi) le font davantage que les poissons rouges.

Système de contrôle du niveau d'eau

DÉTAIL DE CONSTRUCTION

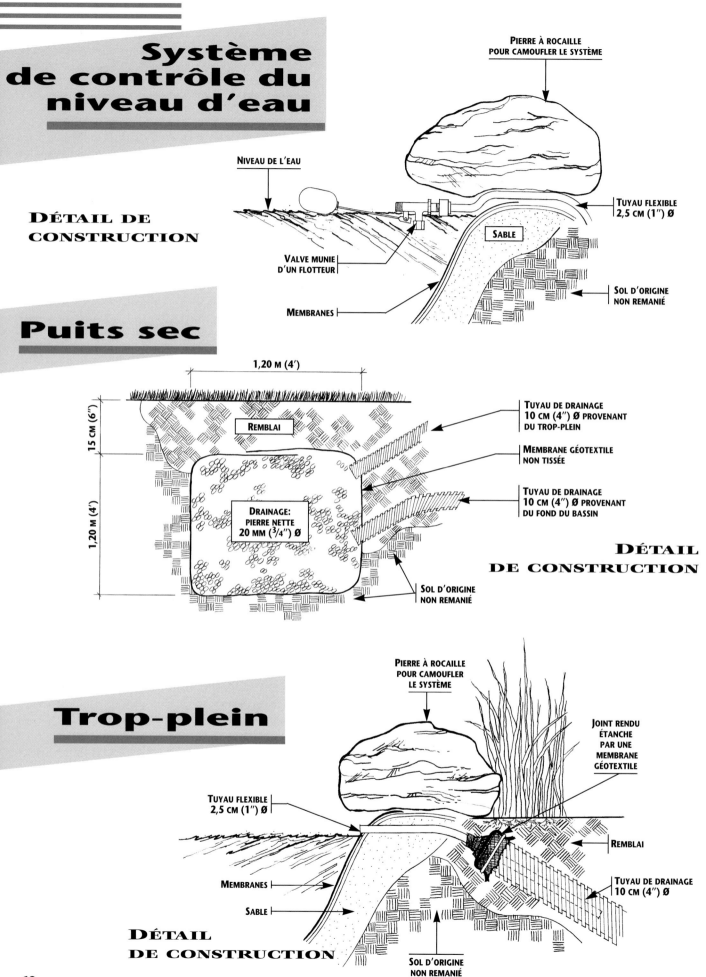

PIERRE À ROCAILLE
POUR CAMOUFLER LE SYSTÈME

NIVEAU DE L'EAU

TUYAU FLEXIBLE
2,5 CM (1") Ø

SABLE

VALVE MUNIE
D'UN FLOTTEUR

SOL D'ORIGINE
NON REMANIÉ

MEMBRANES

Puits sec

1,20 M (4')

15 CM (6")

1,20 M (4')

REMBLAI

DRAINAGE:
PIERRE NETTE
20 MM (3/4") Ø

TUYAU DE DRAINAGE
10 CM (4") Ø PROVENANT
DU TROP-PLEIN

MEMBRANE GÉOTEXTILE
NON TISSÉE

TUYAU DE DRAINAGE
10 CM (4") Ø PROVENANT
DU FOND DU BASSIN

DÉTAIL DE CONSTRUCTION

SOL D'ORIGINE
NON REMANIÉ

Trop-plein

PIERRE À ROCAILLE
POUR CAMOUFLER
LE SYSTÈME

JOINT RENDU
ÉTANCHE
PAR UNE
MEMBRANE
GÉOTEXTILE

TUYAU FLEXIBLE
2,5 CM (1") Ø

REMBLAI

TUYAU DE DRAINAGE
10 CM (4") Ø

MEMBRANES

SABLE

DÉTAIL DE CONSTRUCTION

SOL D'ORIGINE
NON REMANIÉ

60

Comment faire?

Système de contrôle du niveau d'eau

1. Durant la construction du bassin, installez un tuyau flexible de 2,5 cm (1") de diamètre sur le bord du bassin, le plus près possible d'un robinet.

2. Au moment opportun, installez la valve munie d'un flotteur. Celle-ci, installée sur un raccord-adaptateur, est maintenue au tuyau par un collier (serre-joint). La valve doit être maintenue fixe et le flotteur doit pouvoir bouger. Le niveau d'eau, en baissant, fait baisser le flotteur, ce qui a pour effet d'ouvrir l'arrivée d'eau. Le bassin se remplit jusqu'à ce que le flotteur ait repris sa place initiale, ce qui coupe l'arrivée d'eau.

3. À l'aide d'un raccord-adaptateur maintenu au tuyau par un collier (serre-joint), connectez le tuyau du système de contrôle du niveau d'eau à un robinet. Ce robinet doit être ouvert en permanence.

4. Installez une pierre à rocaille décorative pour camoufler le système.

Ce qu'il vous faut?

Quels matériaux?

- Pierre à rocaille
- Valve munie d'un flotteur
- Tuyau flexible 2,5 cm (1") Ø
- Raccord-adaptateur
- Collier (serre-joint)

Quels outils?

- Coffre de plomberie (tournevis, scie, colle, etc.)

Puits sec

1. Dans un endroit situé sous une pelouse, mais suffisamment proche du bassin, marquez l'emplacement du puits sec.

2. Excavez à une profondeur de 1,35 m (4' 6").

3. Installez la membrane géotextile non tissée. Faites des trous dans celle-ci pour pouvoir connecter le tuyau de drainage provenant du trop-plein et le tuyau de drainage provenant du fond du bassin.

4. Remplissez le puits sec de pierre nette 20 mm (3/4") Ø.

5. À 15 cm (6"), refermez la membrane géotextile non tissée.

6. Remblayez le dessus du puits sec de terre d'excavation (choisir la meilleure terre) et faites les réparations de gazon.

Ce qu'il vous faut?

Quels matériaux?

- Remblai
- Tuyau de drainage 10 cm (4") Ø
- Membrane géotextile non tissée
- Pierre nette 20 mm (3/4") Ø

Quels outils?

• Pioche	• Pelle
• Râteau	• Balai
• Piquets de bois	• Marteau

Quel équipement?

- Excavatrice ou mini-excavatrice, et camion pour les travaux de grande envergure
- Brouette

Trop-plein

1. Durant la construction du bassin, installez un tuyau flexible de 2,5 cm (1") de diamètre sur le bord du bassin, le plus près possible du puits sec.

2. Au moment où vous installez le puits sec, raccordez le tuyau flexible au tuyau de drainage de 10 cm (4") Ø qui se dévide dans celui-ci. Laissez le tuyau flexible pénétrer dans le tuyau de drainage sur 60 à 90 cm (2 à 3'). Le joint étanche est fait à l'aide de membrane géotextile maintenue aux différents tuyaux par du fil de fer galvanisé.

3. Ajustez le niveau du tuyau flexible situé dans le bassin, car c'est lui qui définit la hauteur de l'eau.

4. Au moment de la finition autour du bassin, installez une pierre à rocaille décorative pour camoufler le système.

Ce qu'il vous faut?

Quels matériaux?

- Pierre à rocaille
- Tuyau flexible 2,5 cm (1") Ø
- Tuyau de drainage 10 cm (4") Ø
- Membrane géotextile
- Fil de fer galvanisé à chaud

Quels outils?

- Scie
- Ciseaux
- Pince
- Marteau

Truc et conseil

La mise en place du trop-plein et du système de contrôle du niveau d'eau nécessite beaucoup de précautions. En effet, ces deux équipements sont intimement liés. Par exemple, si le trop-plein est trop haut par rapport au système de contrôle du niveau d'eau, celui-ci n'entre en action que quand une bonne quantité d'eau s'est évaporée du bassin. À l'opposé, si le trop-plein est trop bas par rapport au système de contrôle du niveau d'eau, celui-ci sera constamment en action.

Ruisseau sec

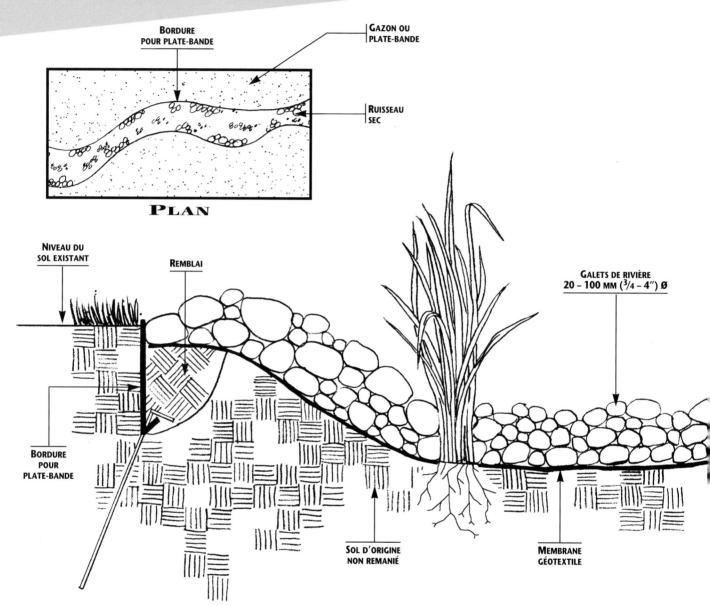

BORDURE
POUR PLATE-BANDE

GAZON OU
PLATE-BANDE

RUISSEAU
SEC

PLAN

NIVEAU DU
SOL EXISTANT

REMBLAI

GALETS DE RIVIÈRE
20 – 100 MM ($^3/_4$ – 4″) Ø

BORDURE
POUR
PLATE-BANDE

SOL D'ORIGINE
NON REMANIÉ

MEMBRANE
GÉOTEXTILE

DÉTAIL DE CONSTRUCTION

Comment faire?

1. À l'aide de piquets et d'une corde, d'un boyau d'arrosage ou de peinture en aérosol, délimitez la forme du ruisseau sec sur le sol.

2. Excavez à la profondeur désirée et selon la forme choisie.

3. Installez les bordures pour plate-bande (voir la rubrique «Bordure pour plate-bande»).

4. Façonnez le ruisseau sec jusqu'à ce que vous ayez obtenu la forme définitive.

5. Installez la membrane géotextile.

Ce qu'il vous faut ?

Quels matériaux ?

- Galets de rivière 20 à 100 mm (³/₄ à 4") Ø
- Membrane géotextile
- Bordure de plastique pour plate-bande
- Terre de culture
- Gazon en plaques ou végétaux

Quels outils ?

- Pioche
- Pelle
- Râteau
- Balai
- Petite masse
- Ciseaux
- Boyau d'arrosage ou peinture en aérosol
- Piquets de bois
- Mètre à ruban
- Marteau

Quel équipement ?

- Brouette

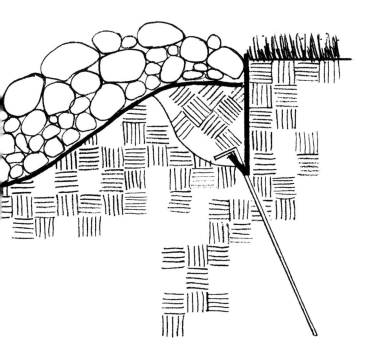

6. Installez les galets de rivière et, le cas échéant, des pierres à rocaille ou autres décorations.

7. Une fois les pierres et les galets posés, faites les plantations (voir la rubrique «Finition de plate-bande en pierre décorative») en dégageant les galets et en découpant la toile.

8. Remblayez le long des bordures et faites les réparations de gazon ou les plantations.

Trucs et conseils

Un ruisseau sec est un excellent moyen de créer l'illusion de la présence de l'eau sans les problèmes (fuites, algues, etc.) reliés à l'eau. Cependant, pour être un élément décoratif intéressant, il faut que le ruisseau sec «imite» le mieux possible la nature. C'est pourquoi il est important d'y ajouter des pierres et de la végétation. Cette dernière doit alors embellir le ruisseau sans toutefois le cacher.

Les graminées sont des plantes tout à fait recommandées pour les ruisseaux secs. Le plus souvent, elles aiment les endroits secs, ce qui est le cas de ce type d'aménagement. Elles s'allient aussi très bien avec la texture des galets et des pierres. Toutefois, il faut faire attention de ne pas multiplier les espèces et les cultivars. En effet, dans la nature, on n'observe le plus souvent que quelques espèces dans un même secteur. Il faut respecter ce principe que vous dicte la nature.

Quelques graminées à planter dans les ruisseaux secs:
- Fétuque amethystina (*Festuca amethystina*, zone 4)
- Fétuque bleue et cultivars (*Festuca glauca*, zone 3)
- Avoine bleue (*Helictotrichon sempervirens*, zone 4)
- Élyme glauque (*Elymus arenarius* 'Glaucus', zone 4)
- Élyme du Canada (*Elymus canadensis*, zone 3)
- Panic effilé et cultivars (*Panicum virgatum*, zone 4)
- Miscanthus de Chine et cultivars (*Miscanthus sinensis*, zone 4)
- Phalaris roseau panaché (*Phalaris arundinacea* 'Picta', zone 4)
- Hakonechlora 'Aureola' (*Hakonechlora macra* 'Aureola', zone 4)
- Carex de Buchanan (*Carex buchananii*, zone 5)
- Brize moyenne (*Briza media*, zone 4)
- Laîche à feuilles de palmier (*Carex muskinguemensis*, zone 4)
- Pennisetum et cultivars (*Pennisetum alopecuroides*, zone 5)

Les bords de votre ruisseau sec auront avantage à être ornés de plantations. En effet, dans la nature, il arrive rarement qu'un ruisseau soit bordé de gazon. Le plus souvent, il est bordé d'arbustes ou de plantes vivaces. Il faut donc essayer de recréer ce genre d'aménagement naturel.

Rocaille

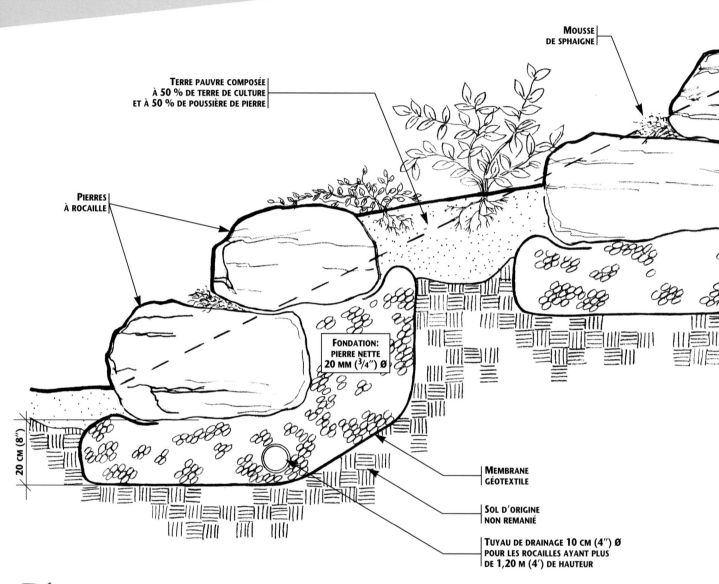

MOUSSE
DE SPHAIGNE

TERRE PAUVRE COMPOSÉE
À 50 % DE TERRE DE CULTURE
ET À 50 % DE POUSSIÈRE DE PIERRE

PIERRES
À ROCAILLE

FONDATION:
PIERRE NETTE
20 MM (³/₄'') Ø

20 CM (8'')

MEMBRANE
GÉOTEXTILE

SOL D'ORIGINE
NON REMANIÉ

TUYAU DE DRAINAGE 10 CM (4'') Ø
POUR LES ROCAILLES AYANT PLUS
DE 1,20 M (4') DE HAUTEUR

DÉTAIL DE CONSTRUCTION

Comment faire ?

1. À l'aide de piquets et d'une corde, d'un boyau d'arrosage ou de peinture en aérosol, délimitez la forme de la rocaille sur le sol.

2. Excavez sur environ 20 cm (8'') les espaces qui doivent recevoir la fondation de pierre nette.

3. Installez la membrane géotextile, tout en prévoyant de la replier sous les pierres.

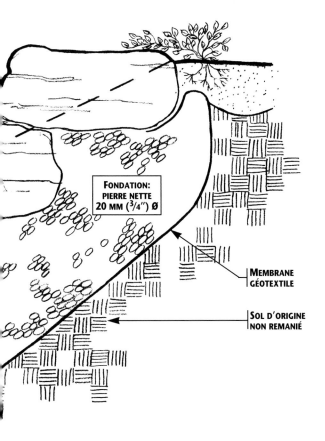

**FONDATION:
PIERRE NETTE
20 MM (³/₄") ∅**

**MEMBRANE
GÉOTEXTILE**

**SOL D'ORIGINE
NON REMANIÉ**

Ce qu'il vous faut ?

Quels matériaux ?

- Pierres à rocaille
- Pierre nette 20 mm (³/₄") ∅
- Membrane géotextile
- Terre de culture
- Poussière de pierre
- Tuyau de drainage 10 cm (4") ∅
- Plantes alpines et de rocailles
- Végétaux
- Mousse de sphaigne

Quels outils ?

- Pioche
- Pelle
- Râteau
- Petite masse
- Ciseau à froid
- Lunettes de protection
- Boyau d'arrosage ou peinture en aérosol
- Piquets de bois
- Corde
- Barre à mine
- Feuilles de contreplaqué ou planche de bois
- Grosse corde ou chaîne
- Mètre à ruban

Quel équipement ?

- Excavatrice ou mini-excavatrice, et camion pour les travaux de grande envergure
- Brouette
- Chariot ou diable pour pierres à rocaille

4. Si la rocaille a plus de 1,20 m de haut (4'), placez un drain à sa base. Raccordez celui-ci à un tuyau de drainage existant.

5. Installez la pierre nette 20 mm (³/₄") ∅.

6. Installez les pierres à rocaille. Au fur et à mesure de la construction, remplissez les poches créées par les pierres du mélange de terre pauvre.

7. Une fois toutes les pierres mises en place, finissez de remplir les espaces avec le mélange de terre pauvre et faites les plantations.

8. Installez, dans les interstices, de la mousse de sphaigne humide. Celle-ci évite l'érosion lors de pluies.

9. En haut et en bas de la rocaille, apportez de la terre et faites des plantations.

Trucs et conseils

Au moment de la construction d'une rocaille, le choix des pierres revêt une grande importance. Il faut choisir des pierres qui ont toutes la même allure. Il est donc important que vous vous approvisionniez chez le même fournisseur, que vous avez choisi avec précautions. Dans le cas d'une seconde commande (pour compléter ou pour agrandir la rocaille), il faut vous assurer que les pierres proviennent bien de la même origine.

La plupart des pierres portent des lignes: les strates. En général, il faut placer ces strates parallèlement au sol existant. Cependant, ce qui importe le plus, c'est que les strates de la pierre soient toutes placées dans le même sens car elles le sont dans la nature. C'est pourquoi, si l'on veut imiter le mieux possible la nature, il faut respecter ce principe.

Dans ce détail de construction, nous vous conseillons d'utiliser un mélange de terre de culture et de poussière de pierre. Ce mélange est préparé dans le but de créer un milieu plutôt pauvre. En effet, l'utilisation de terre de culture pure ou de terre noire entraîne la prolifération des plantes de rocailles, mais aussi des mauvaises herbes. La plantation de plantes dans les rocailles n'a pas pour but de recouvrir l'ensemble des pierres. Le mélange proposé permet d'équilibrer le rapport entre les pierres et les plantes. De plus, les plantes de rocailles préfèrent ce milieu de culture.

Pour obtenir un bel effet, choisissez des pierres de bonnes dimensions. Les pierres d'environ 45 à 60 cm (18 à 24") de diamètre sont intéressantes et faciles à manipuler. Si vous avez la possibilité de louer de la machinerie, il est alors possible de mettre en place des pierres plus grosses. Quant aux pierres plus petites, elles risquent de donner à votre rocaille une allure d'éboulis. Il vaut donc mieux réduire la taille de la rocaille et y mettre de grosses pierres que de faire une grande rocaille avec de petites pierres.

Pierre à rocaille isolée

Comment faire?

1. Identifiez l'emplacement de la pierre à l'aide d'un piquet.

2. Excavez sur 30 cm (12") de profondeur.

3. Installez la membrane géotextile puis la pierre nette 20 mm (^{3}/4") Ø sur 20 cm (8").

4. Placez la pierre en vous assurant qu'elle est bien stable. Il faut que, une fois le niveau final installé, la pierre soit légèrement enterrée.

5. Installez la terre de culture et faites les plantations.

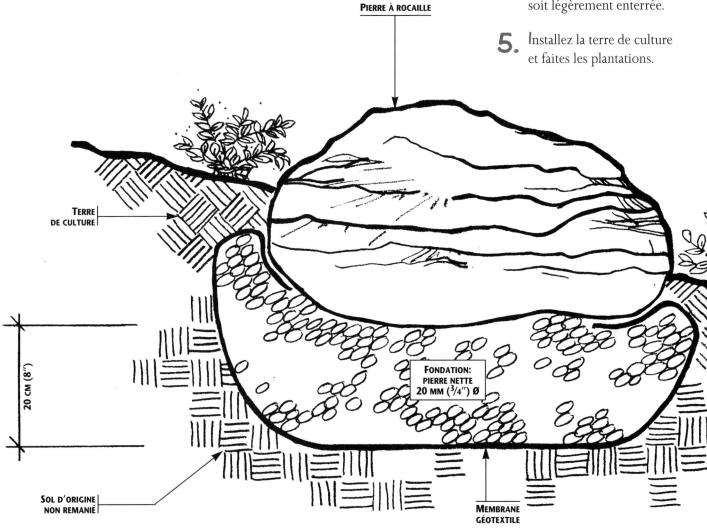

PIERRE À ROCAILLE

TERRE DE CULTURE

FONDATION: PIERRE NETTE 20 MM (^{3}/4") Ø

20 CM (8")

SOL D'ORIGINE NON REMANIÉ

MEMBRANE GÉOTEXTILE

DÉTAIL DE CONSTRUCTION

Ce qu'il vous faut ?

Quels matériaux ?

- Pierre à rocaille
- Pierre nette 20 mm (³/₄") Ø
- Membrane géotextile
- Terre de culture
- Végétaux

Quel équipement ?

- Brouette
- Chariot ou diable pour pierres à rocaille

Quels outils ?

- Pioche
- Pelle
- Râteau
- Petite masse
- Piquets de bois
- Barre à mine
- Feuilles de contreplaqué ou planche de bois
- Grosse corde ou chaînes
- Mètre à ruban

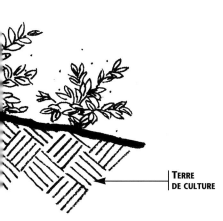

TERRE DE CULTURE

Trucs et conseils

Pour être placée en isolé, une pierre doit être belle sous toutes ses faces visibles. Toutefois, si vous avez une pierre dont une face est très belle alors qu'une autre ne vaut pas le coup d'être exposée, vous pouvez régler ce problème en faisant une plantation du côté où la pierre est sans intérêt.

Vous pouvez mettre en valeur une pierre à rocaille isolée par la plantation d'un arbre ou d'un arbuste spectaculaire. C'est notamment le cas des arbres de petite dimension et des arbres pleureurs.

Choix d'arbustes pour mettre en valeur une pierre isolée:

- Amandier à fleurs doubles (*Prunus triloba* 'Multiplex'), zone 3
- Arbre à perruque 'Royal Purple' (*Cotinus coggygria* 'Royal Purple'), zone 4
- Arbre aux papillons et cultivars (*Buddleia davidii*), zone 5
- Azalée rustique 'Northern Lights' (*Rhododendron* 'Northern Lights'), zone 3
- Bois joli (*Daphne mezereum*), zone 3
- Caryoptère 'Heavenly Blue' (*Caryopteris x clandonensis* 'Heavenly Blue'), zone 5
- Cognassier commun (*Chaenomeles speciosa*), zone 4
- Cognassier du Japon (*Chaenomeles japonica*), zone 4
- Cotonéaster horizontal (*Cotoneaster horizontalis*), zone 5
- Cytise rampant (*Cytisus procumbens*), zone 2
- Érable du Japon (*Acer japonicum* et *Acer palmatum*), zone 5
- Genêt de Lydie (*Genista lydia*), zone 3
- Houx hybride (*Ilex x meservae*), zone 4
- Houx verticillé (*Ilex verticillata*), zone 3
- Hydrangée paniculée (*Hydrangea paniculata*), zone 3
- Kolkwitzia aimable (*Kolkwitzia amabilis*), zone 4
- Lilas de Corée nain (*Syringa meyeri* 'Paliban'), zone 2
- Magnolia de Soulange (*Magnolia x soulangeana*), zone 5
- Noisetier tortueux (*Corylus avellana* 'Contorta'), zone 5
- Rhododendron 'P.J.M.' (*Rhododendron x* 'P.J.M.'), zone 4
- Rhododendron 'Ramapo' (*Rhododendron x* 'Ramapo'), zone 4
- Saule 'Hakuro Nishiki' (*Salix integra* 'Hakuro Nishiki'), zone 4
- Spirée 'Summersnow' (*Spiraea x* 'Summersnow'), zone 2
- Tamaris 'Pink Cascade' (*Tamarix ramosissima* 'Pink Cascade'), zone 4

Choix d'arbres pour mettre en valeur une pierre isolée:

- Amandier à fleurs sur tige (*Prunus triloba* 'Multiplex'), zone 3
- Bouleau 'Trost's Dwarf' sur tige (*Betula* 'Trost's Dwarf'), zone 3
- Bouleau triste (*Betula pendula* 'Tristis'), zone 2
- Cotonéaster précoce sur tige (*Cotoneaster adpressus praecox*), zone 5
- Caragana pleureur (*Caragana arborescens* 'Pendula'), zone 2
- Caragana pleureur 'Walker' (*Caragana arborescens* 'Walker'), zone 2
- Chêne pyramidal (*Quercus robur* 'Fastigiata'), zone 4
- Frêne pleureur (*Fraxinus excelsior* 'Pendula'), zone 4
- Gainier du Canada (*Cercis canadensis*), zone 5
- Lilas sur tige (*Syringa meyeri* 'Palibin'), zone 2
- Mûrier pleureur (*Morus alba* 'Pendula'), zone 4
- Orme pleureur (*Ulmus glabra* 'Camperdownii'), zone 4
- Pommetier 'Red Jade' (*Malus x* 'Red Jade'), zone 3
- Pommetier 'Pom'zai' (*Malus x* 'Pom'zai'), zone 5
- Pommetier pleureur (*Malus x* 'Royal Beauty'), zone 3
- Prunier pourpre des sables sur tige (*Prunus x cistena*), zone 3
- Saule marsault pleureur, (*Salix caprea* 'Pendula'), zone 5
- Saule arctique nain (*Salix purpurea* 'Gracilis'), zone 2

Drain agricole

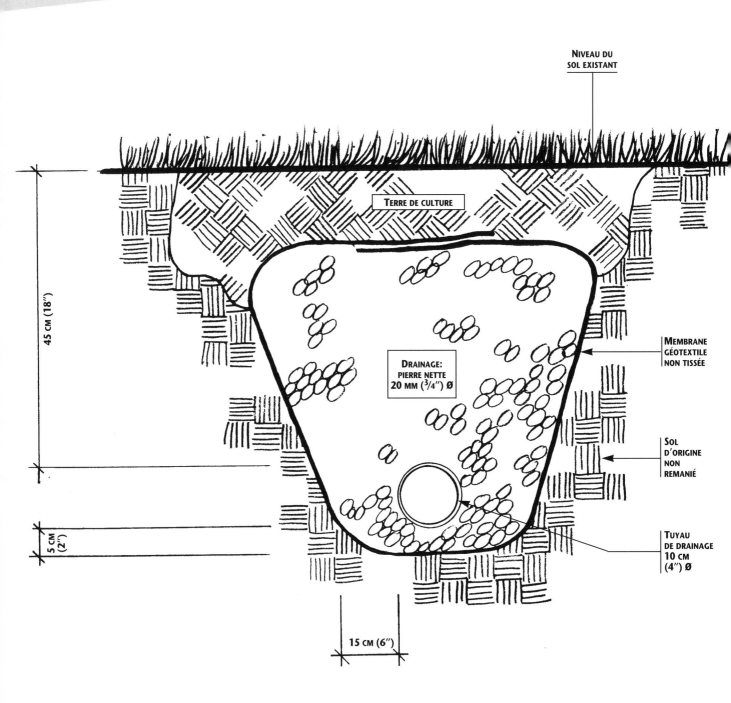

NIVEAU DU
SOL EXISTANT

TERRE DE CULTURE

45 CM (18″)

DRAINAGE:
PIERRE NETTE
20 MM (³/₄″) Ø

MEMBRANE
GÉOTEXTILE
NON TISSÉE

SOL
D'ORIGINE
NON
REMANIÉ

5 CM
(2″)

TUYAU
DE DRAINAGE
10 CM
(4″) Ø

15 CM (6″)

DÉTAIL DE CONSTRUCTION

Comment faire ?

1. À l'aide de piquets, indiquez l'emplacement du drain sur le sol.

2. Excavez d'au moins 65 cm (26") dans la partie la plus haute du terrain et de plus en plus profondément au fur et à mesure que vous avancez. En effet, pour être efficace, un drain agricole doit avoir une pente d'au moins 2 %.

3. Installez la membrane géotextile non tissée.

4. Installez 5 cm (2") de pierre nette dans le fond du trou.

5. Déroulez le tuyau de drainage et vérifiez que celui-ci est bien en pente.

6. Recouvrez le tuyau de pierre nette. Cessez le remplissage environ 10 cm (4") avant le niveau du sol.

7. Refermez la membrane géotextile non tissée sur le dessus du drain en ayant soin de bien faire se chevaucher les morceaux.

8. Recouvrez de terre de culture et placez le gazon en plaques.

Ce qu'il vous faut ?

Quels matériaux ?

- Membrane géotextile non tissée
- Pierre nette 20 mm (3/4") Ø
- Tuyau de drainage 10 cm (4") Ø
- Terre de culture
- Gazon en plaques

Quels outils ?

- Pioche
- Pelle
- Râteau
- Balai
- Corde
- Niveau de corde
- Niveau à bulle
- Petite masse
- Piquets de bois
- Marteau

Quel équipement ?

- Excavatrice ou mini-excavatrice, et camion pour les travaux de grande envergure
- Brouette
- Creuse-tranchée

Trucs et conseils

Pour qu'un drain agricole soit efficace, au moment de la mise en place, il faut vous assurer qu'il est plus large en haut qu'en bas. Une telle manière de procéder permet d'augmenter son efficacité.

Quelle que soit la situation de votre terrain, vous devez respecter la profondeur minimum du drain. Cette norme permet d'avoir 10 cm (4") de terre au-dessus de la pierre nette. C'est l'épaisseur minimum pour éviter que, lors d'une canicule, le gazon ne dessèche rapidement.

Comme propriétaire, vous êtes responsable du bon écoulement des eaux de surface de votre terrain. La loi vous empêche d'envoyer vos eaux de surface chez vos voisins. Vous devez, normalement, envoyer celles-ci à la rue, ou, lorsque cela est possible, à la ruelle. Un voisin qui est «inondé» à cause du mauvais écoulement de votre terrain est en droit de vous demander de modifier la situation. Il faut s'en souvenir lors de la mise en place de toute construction, notamment de murets mitoyens.

Bordure pour plate-bande

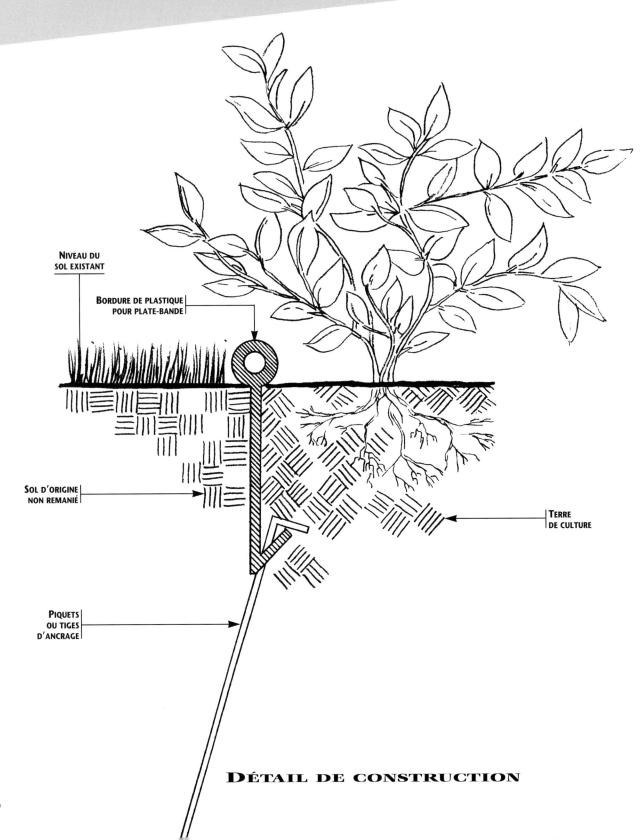

NIVEAU DU
SOL EXISTANT

BORDURE DE PLASTIQUE
POUR PLATE-BANDE

SOL D'ORIGINE
NON REMANIÉ

TERRE
DE CULTURE

PIQUETS
OU TIGES
D'ANCRAGE

DÉTAIL DE CONSTRUCTION

Comment faire?

Sur un terrain nu

1. À l'aide de piquets, marquez l'emplacement de la bordure.

2. Creusez une tranchée à la profondeur requise, si nécessaire.

3. Posez la bordure et vérifiez le niveau.

4. Installez les piquets ou les tiges d'ancrage tout en vous assurant que le haut de la bordure de plastique est bien à la bonne hauteur.

5. Remblayez de chaque côté de la bordure avec de la terre de culture.

6. Installez le gazon et faites les plantations.

Ce qu'il vous faut?

Quels matériaux ?	Quels outils ?
• Bordure de plastique • Terre de culture • Piquets ou tiges d'ancrage • Gazon en plaques ou végétaux	• Pioche • Pelle • Râteau • Balai • Niveau à bulle • Petite masse • Piquets de bois

Quel équipement ?
• Brouette

Dans une plate-bande existante

1. Si vous désirez modifier la forme de la plate-bande, à l'aide de piquets, marquez l'emplacement de la bordure.

2. Avec un coupe-bordure, excavez le long du gazon existant. Coupez à la verticale le long du gazon et excavez à angle ouvert du côté des plantations.

3. Posez la bordure en faisant correspondre le niveau de la bordure avec celui du gazon.

4. Installez les piquets ou les tiges d'ancrage tout en vous assurant que le haut de la bordure de plastique est au bon niveau.

5. Remblayez du côté des plantations avec la terre existante ou, au besoin, avec de la terre de culture.

Ce qu'il vous faut

Quels matériaux ?	Quels outils ?
• Bordure de plastique • Piquets ou tiges d'ancrage	• Pelle • Râteau • Balai • Râteau à gazon • Coupe-bordure • Petite masse • Piquets de bois • Mètre à ruban

Quel équipement ?
• Brouette

Plantation d'un arbre en motte ou en pot

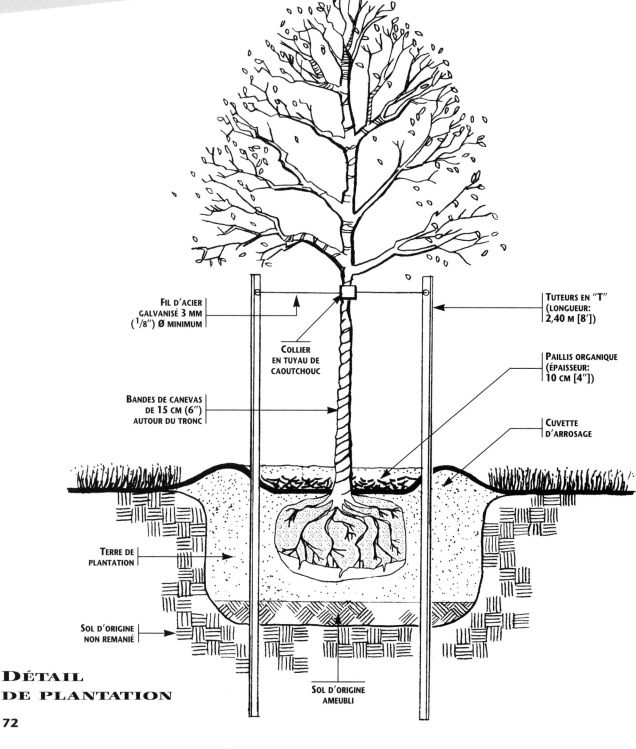

FIL D'ACIER
GALVANISÉ 3 MM
($^1/8$") Ø MINIMUM

TUTEURS EN "T"
(LONGUEUR:
2,40 M [8'])

COLLIER
EN TUYAU DE
CAOUTCHOUC

PAILLIS ORGANIQUE
(ÉPAISSEUR:
10 CM [4"])

BANDES DE CANEVAS
DE 15 CM (6")
AUTOUR DU TRONC

CUVETTE
D'ARROSAGE

TERRE DE
PLANTATION

SOL D'ORIGINE
NON REMANIÉ

SOL D'ORIGINE
AMEUBLI

**DÉTAIL
DE PLANTATION**

Comment faire?

1. Avec des piquets, indiquez l'emplacement du trou de plantation.

2. Si nécessaire, enlevez le gazon. Creusez un trou égal à deux fois la largeur et deux fois la hauteur de la motte.

3. Ameublissez le sol au fond du trou sur 30 cm (12").

4. Préparez la terre de plantation en mélangeant $1/3$ de terre existante avec $1/3$ de terre de culture, $1/6$ de compost et $1/6$ de tourbe de sphaigne.

5. Mettez dans le trou de la terre de plantation de manière à ce qu'au moment de la mise en place de la motte, le dessus de celle-ci arrive au niveau du sol existant.

6. Placez l'arbre dans le trou de plantation.

7. Coupez le plus possible de cordes ou de fils de fer pour pouvoir enlever le plus de toile possible. Toutefois, laissez la toile sous la motte pour éviter d'abîmer celle-ci.

8. Plantez les deux tuteurs de chaque côté de l'arbre. Ils doivent être assez longs pour s'enfoncer dans le sol d'origine et ainsi tenir en place sans aide.

9. Remplissez le trou avec la terre de plantation. Au fur et à mesure du remplissage, tassez la terre autour de la motte. Tassez vigoureusement, mais sans excès.

10. Une fois le niveau existant du sol atteint, à l'aide de la terre de plantation, formez une cuvette d'arrosage. Les limites de celle-ci ne doivent pas excéder les dimensions de la motte.

11. Installez les bandes de canevas sur le tronc pour protéger celui-ci des rayons du soleil.

12. Installez le collier en caoutchouc, puis les fils de fer galvanisé que vous raccordez aux tuteurs.

13. Arrosez en remplissant la cuvette. Laissez l'eau s'écouler et recommencez une seconde fois.

14. Arrosez avec de l'engrais transplanteur en respectant les doses prescrites.

15. Installez le paillis organique dans la cuvette.

16. Faites les réparations de gazon ou les plantations, si désiré.

Ce qu'il vous faut?

Quels matériaux?

- Terre de culture
- Compost bien décomposé
- Tourbe de sphaigne
- Engrais transplanteur
- Fil d'acier galvanisé 3 mm (1/8") Ø minimum
- Colliers en tuyau de caoutchouc
- Tuteurs en "T"
- Bandes de canevas
- Paillis organique
- Arbre en motte

Quels outils?

- Pioche
- Pelle
- Râteau
- Balai
- Petite masse
- Piquets de bois
- Coupe-bordure
- Masse
- Pince
- Mètre à ruban

Quel équipement?

- Excavatrice ou mini-excavatrice, et camion pour les travaux de grande envergure
- Brouette

Trucs et conseils

Une fois l'arbre bien repris, vous pouvez supprimer la cuvette d'arrosage. À ce moment-là, n'enlevez pas le paillis pour le remplacer par du gazon. En effet, pour éviter les blessures au collet dues à une tondeuse ou à une tondeuse à fouet, il est fortement conseillé de maintenir un cercle de paillis autour des arbres. Vous pouvez toutefois remplacer ce paillis par des plantations de plantes vivaces ou de fleurs annuelles.

Pour ce détail de plantation, et pour ceux qui suivent, nous vous conseillons de mélanger la terre existante à de la terre de culture, du compost et de la tourbe de sphaigne. Cette technique est issue de recherches qui ont démontré que les plantes qui avaient été plantées ainsi présentaient moins de difficultés de croissance au moment où leurs racines arrivaient dans la partie non amendée et non ameublie du sol. En quelque sorte, elles avaient déjà une petite idée de ce qui les attendait.

Plantation d'un conifère érigé en motte

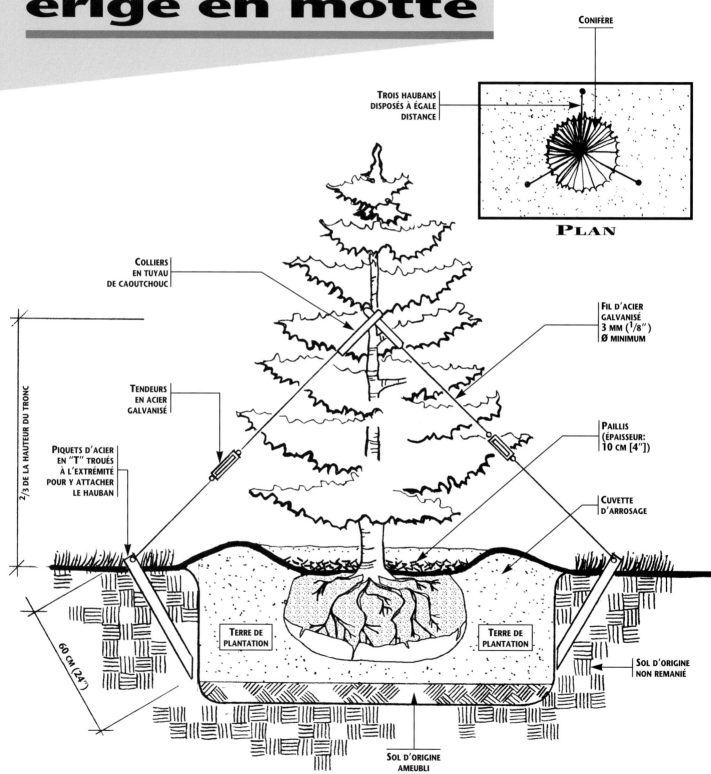

CONIFÈRE

TROIS HAUBANS DISPOSÉS À ÉGALE DISTANCE

PLAN

COLLIERS EN TUYAU DE CAOUTCHOUC

FIL D'ACIER GALVANISÉ 3 MM ($^1/_8$″) Ø MINIMUM

TENDEURS EN ACIER GALVANISÉ

PAILLIS (ÉPAISSEUR: 10 CM [4″])

PIQUETS D'ACIER EN "T" TROUÉS À L'EXTRÉMITÉ POUR Y ATTACHER LE HAUBAN

CUVETTE D'ARROSAGE

$^2/_3$ DE LA HAUTEUR DU TRONC

TERRE DE PLANTATION

TERRE DE PLANTATION

SOL D'ORIGINE NON REMANIÉ

60 CM (24″)

SOL D'ORIGINE AMEUBLI

DÉTAIL DE PLANTATION

Comment faire?

1. **A**vec des piquets, indiquez l'emplacement du trou de plantation.

2. **S**i nécessaire, enlevez le gazon. Creusez un trou égal à deux fois la largeur et deux fois la hauteur de la motte.

3. **A**meublissez le sol au fond du trou sur 30 cm (12").

4. **P**réparez la terre de plantation en mélangeant $1/3$ de terre existante avec $1/3$ de terre de culture, $1/6$ de compost et $1/6$ de tourbe de sphaigne.

5. **M**ettez, dans le trou, de la terre de plantation de manière à ce qu'au moment de la mise en place de la motte, le dessus de celle-ci arrive au niveau du sol existant.

6. **P**lacez le conifère dans le trou de plantation.

7. **C**oupez le plus possible de cordes ou de fils de fer pour pouvoir enlever le plus de toile possible. Toutefois, laissez la toile sous la motte pour éviter d'abîmer celle-ci.

8. **R**emplissez le trou avec la terre de plantation. Au fur et à mesure du remplissage, tassez la terre autour de la motte. Tassez vigoureusement, mais sans excès.

9. **U**ne fois le niveau existant du sol atteint, à l'aide de la terre de plantation, formez une cuvette d'arrosage. Les limites de celle-ci ne doivent pas excéder les dimensions de la motte.

10. **I**nstallez le collier en caoutchouc, puis les fils de fer galvanisé et les tendeurs. Plantez les trois piquets à égale distance les uns des autres et raccordez chaque fil de fer galvanisé à un tuteur. À l'aide des tendeurs, donnez de la tension aux fils de fer tout en vous assurant que le conifère est bien droit dans tous les plans.

11. **A**rrosez en remplissant la cuvette. Laissez l'eau s'écouler et recommencez une seconde fois.

12. **A**rrosez avec de l'engrais transplanteur en respectant les doses prescrites.

13. **I**nstallez le paillis organique dans la cuvette.

14. **F**aites les réparations de gazon ou les plantations, si désiré.

Ce qu'il vous faut?

Quels matériaux?

- Fil d'acier galvanisé 3 mm ($1/8$") Ø minimum
- Tendeurs en acier galvanisé
- Colliers en tuyau de caoutchouc
- Piquets d'acier en "T" troués à l'extrémité
- Terre de culture
- Paillis organique
- Compost bien décomposé
- Tourbe de sphaigne
- Engrais transplanteur
- Conifère en motte

Quels outils?

- Pioche
- Pelle
- Râteau
- Balai
- Petite masse
- Coupe-bordure
- Piquets de bois
- Masse
- Pince
- Tournevis
- Mètre à ruban

Quel équipement?

- Excavatrice ou mini-excavatrice, et camion pour les travaux de grande envergure
- Brouette

Trucs et conseils

Pour gagner quelques années, plusieurs jardiniers décident de planter des arbres ou des conifères de gros calibre. Toutefois, plusieurs expériences ont démontré qu'il n'est pas toujours intéressant d'acheter des plantes de très gros calibre. En effet, plus un arbre est gros, plus le choc de transplantation qu'il subit est important. Il peut donc arriver que, pendant deux ou trois ans, la plante ait une croissance très ralentie. Planté en même temps, un arbre étant trois ans plus jeune aura, au bout de ce même temps, presque les mêmes dimensions que le plus gros. Ce qui change, c'est que le plus gros arbre aura coûté beaucoup plus cher. Avant de choisir le calibre de la plante, il faut donc calculer les risques.

Les meilleures périodes pour planter vos conifères et vos arbres en motte sont le printemps, en avril et mai, et l'automne, en septembre et octobre. Si les plantes ont été arrachées au printemps, il est aussi possible de les planter toute la saison. Cependant, il faut procéder avec précautions et surveiller avec attention les arrosages.

Plantation d'un arbuste feuillu ou d'un conifère en pot

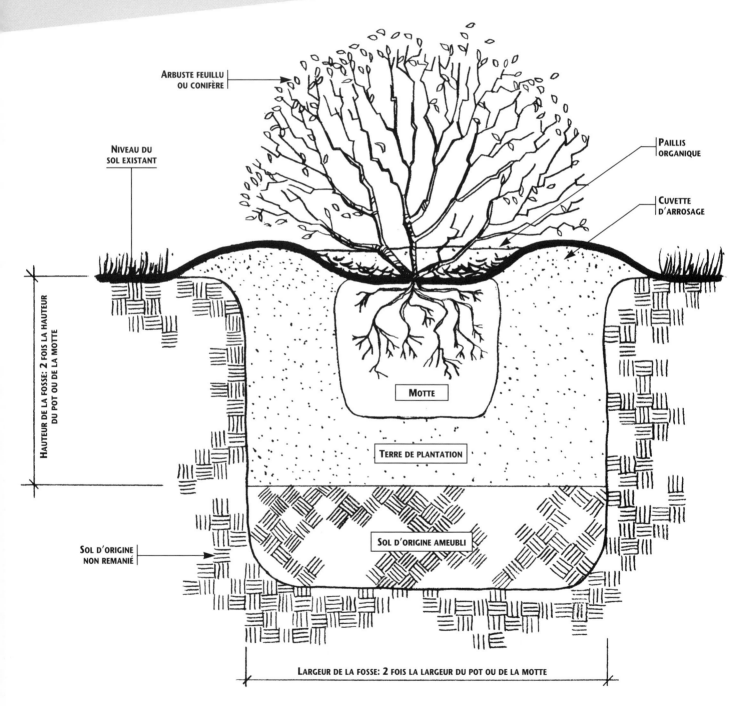

ARBUSTE FEUILLU OU CONIFÈRE

PAILLIS ORGANIQUE

CUVETTE D'ARROSAGE

NIVEAU DU SOL EXISTANT

HAUTEUR DE LA FOSSE: **2** FOIS LA HAUTEUR DU POT OU DE LA MOTTE

MOTTE

TERRE DE PLANTATION

SOL D'ORIGINE NON REMANIÉ

SOL D'ORIGINE AMEUBLI

LARGEUR DE LA FOSSE: **2** FOIS LA LARGEUR DU POT OU DE LA MOTTE

DÉTAIL DE PLANTATION

Comment faire ?

1. Avec un piquet, indiquez l'emplacement du trou de plantation.

2. Si nécessaire, enlevez le gazon. Creusez un trou égal à deux fois la largeur et deux fois la hauteur de la motte.

3. Ameublissez le sol au fond du trou sur 30 cm (12").

4. Préparez la terre de plantation en mélangeant $^1/_3$ de terre existante avec $^1/_3$ de terre de culture, $^1/_6$ de compost et $^1/_6$ de tourbe de sphaigne.

5. Mettez dans le trou de la terre de plantation de manière à ce qu'au moment de la mise en place de la motte, le dessus de celle-ci arrive au niveau du sol existant.

6. Enlevez le pot de plastique ou de tourbe.

7. Placez l'arbuste ou le conifère dans le trou de plantation.

8. Remplissez le trou avec la terre de plantation. Au fur et à mesure du remplissage, tassez la terre autour de la motte. Tassez vigoureusement, mais sans excès.

9. Une fois le niveau existant du sol atteint, à l'aide de la terre de plantation, formez une cuvette d'arrosage. Les limites de celle-ci ne doivent pas excéder les dimensions de la motte.

10. Arrosez en remplissant la cuvette. Laissez l'eau s'écouler et recommencez une seconde fois.

11. Arrosez avec de l'engrais transplanteur en respectant les doses prescrites.

12. Installez le paillis organique dans la cuvette.

13. Faites les réparations de gazon ou les autres plantations, si désiré.

Ce qu'il vous faut ?

Quels matériaux ?	Quels outils ?	Quel équipement ?
• Terre de culture • Paillis organique • Compost bien décomposé • Tourbe de sphaigne • Engrais transplanteur • Conifère ou arbuste en pot	• Pioche • Pelle • Râteau • Balai • Piquets de bois • Coupe-bordure • Petite masse • Mètre à ruban	• Brouette

Plantation de plantes de sol acide

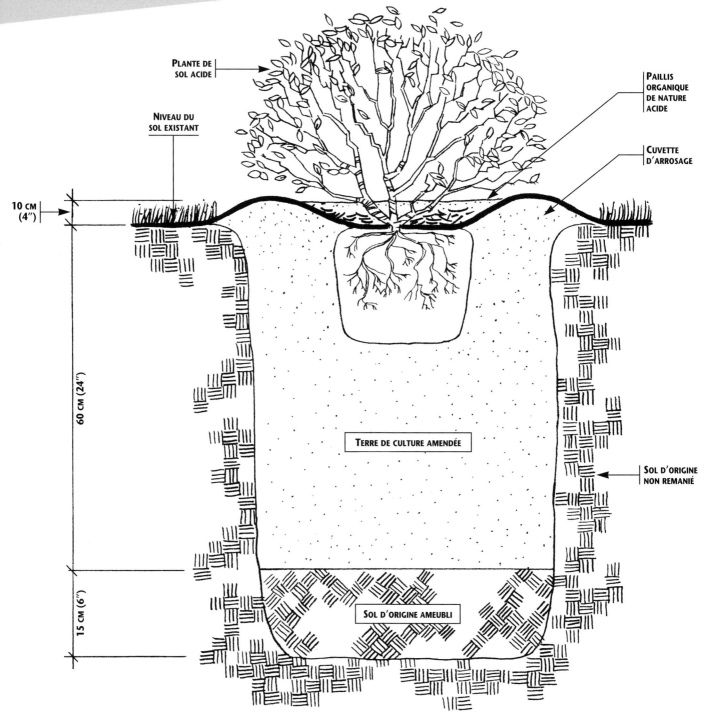

PLANTE DE
SOL ACIDE

NIVEAU DU
SOL EXISTANT

PAILLIS
ORGANIQUE
DE NATURE
ACIDE

CUVETTE
D'ARROSAGE

10 CM
(4")

60 CM (24")

15 CM (6")

TERRE DE CULTURE AMENDÉE

SOL D'ORIGINE
NON REMANIÉ

SOL D'ORIGINE AMEUBLI

DÉTAIL DE PLANTATION

Comment faire?

1. Avec des piquets, indiquez l'emplacement de la plate-bande qui recevra les plantes de sol acide.

2. Si nécessaire, enlevez le gazon. Creusez un trou égal à deux fois la largeur des mottes et de 60 cm (2') de profondeur.

3. Ameublissez le sol au fond du trou sur 15 cm (6").

4. Préparez la terre de plantation en mélangeant $1/3$ de terre noire avec $1/3$ de terre de culture, $1/3$ de tourbe de sphaigne. Ajoutez-y du compost.

5. Mettez, dans le trou, de la terre de plantation de manière à ce qu'au moment de la mise en place des mottes, le dessus de celles-ci arrive au niveau du sol existant.

6. Enlevez les pots.

7. Placez les plantes dans le trou de plantation.

8. Remplissez le trou avec la terre de plantation. Au fur et à mesure du remplissage, tassez la terre autour des mottes. Tassez vigoureusement, mais sans excès.

9. Une fois le niveau existant du sol atteint, à l'aide de la terre de plantation, formez pour chaque plante, une cuvette d'arrosage. Les limites de celle-ci ne doivent pas excéder les dimensions de la motte.

10. Arrosez en remplissant la cuvette. Laissez l'eau s'écouler et recommencez une seconde fois.

11. Arrosez avec de l'engrais transplanteur en respectant les doses prescrites.

12. Installez le paillis organique sur toute la plate-bande.

13. Faites les réparations de gazon autour de la plate-bande.

Ce qu'il vous faut?

Quels matériaux?	Quels outils?	Quel équipement?
• Terre noire	• Pioche	• Brouette
• Terre de culture	• Pelle	
• Compost bien décomposé	• Râteau	
• Tourbe de sphaigne	• Balai	
• Engrais transplanteur	• Coupe-bordure	
• Paillis organique de nature acide	• Petite masse	
• Plante de sol acide	• Piquets de bois	
	• Mètre à ruban	

Trucs et conseils

À cause de leurs besoins particuliers, vous devriez toujours planter les plantes de sol acide en plate-bande et non en isolé. En effet, à long terme, un simple amendement du sol au moment de la plantation entraîne la mort de la plante. Il faut donc que vous fassiez une fosse de plantation que vous remplissez de terre de plantation pour plantes de sol acide. Aussi, pour éviter l'érosion, il est bon de planter des plantes couvre-sol qui conservent l'humidité, ce qui évite une érosion rapide de la surface du sol.

L'eau des aqueducs a souvent un pH neutre ou plutôt calcaire. C'est pourquoi il est conseillé d'utiliser de l'eau de pluie pour arroser les plantes de sol acide. Si ce n'est pas possible, il faut prévoir un amendement du sol avec des produits acidifiants sur une base annuelle.

Quand vous pensez plantes de sol acide, vous pensez généralement aux rhododendrons et aux azalées. Par voie de conséquence, vous pensez à une protection hivernale. Pourtant, il existe plusieurs plantes de sol acide qui sont très rustiques. Pensons, par exemple, au thé des bois (*Gaultheria procumbens*, zone 2), à l'airelle à feuilles étroites (*Vaccinium angustifolium*, zone 2) ou à la comptonie voyageuse (*Comptonia peregrina*, zone 2). Donc, avant de mettre en place une protection hivernale pour une plante de sol acide, assurez-vous que celle-ci en a réellement besoin.

Les plantes de sol acide demandent un soin particulier en ce qui a trait à l'arrosage. Durant la floraison et jusqu'à la mi-juillet, arrosez normalement. Entre cette date et la mi-août, diminuez les arrosages pour favoriser la formation des boutons floraux. De la mi-août à l'automne, reprenez les arrosages réguliers.

Plantation d'arbustes à racines nues pour la renaturalisation

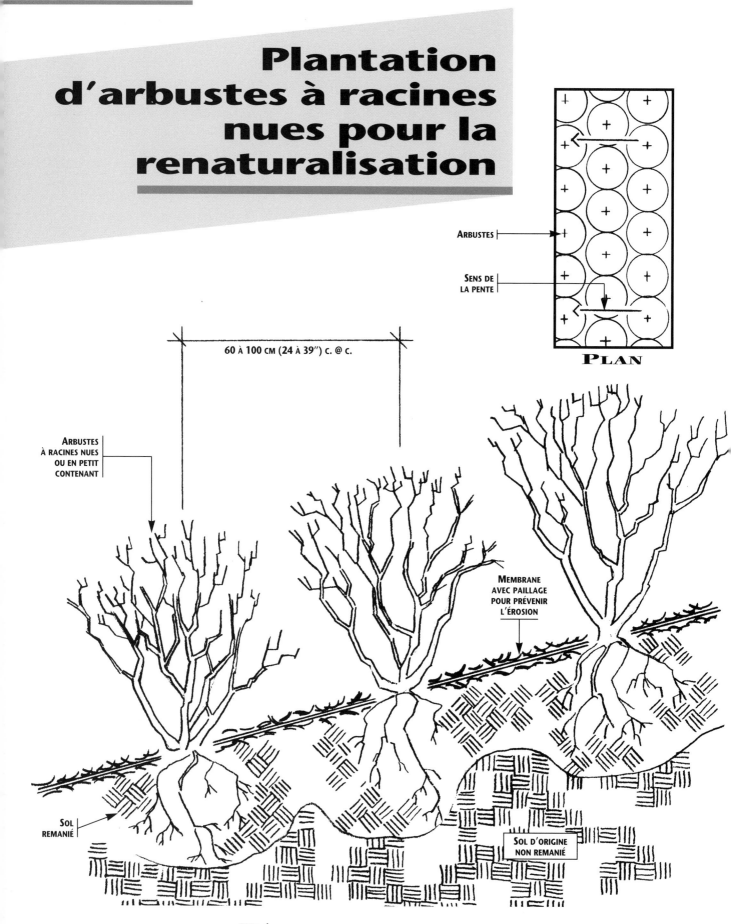

ARBUSTES

SENS DE LA PENTE

PLAN

60 À 100 CM (24 À 39") C. @ C.

ARBUSTES À RACINES NUES OU EN PETIT CONTENANT

MEMBRANE AVEC PAILLAGE POUR PRÉVENIR L'ÉROSION

SOL REMANIÉ

SOL D'ORIGINE NON REMANIÉ

DÉTAIL DE PLANTATION

Comment faire?

1. **A**vec des piquets, indiquez l'emplacement du trou de plantation de chaque arbuste.

2. **A**meublissez le sol sur la profondeur nécessaire à la bonne mise en place des racines. À cette étape, un apport d'os moulu peut être envisagé.

3. **F**aites un trou de plantation assez grand pour placer convenablement les racines. Assurez-vous que le point de jonction entre les racines et les tiges (le collet) est bien situé au niveau du sol.

4. **R**emplissez le trou avec le sol remanié et tassez la terre autour des racines. Tassez vigoureusement, mais sans excès.

5. **A**rrosez une première fois, laissez l'eau pénétrer le sol et recommencez une seconde fois.

6. **I**nstallez la membrane avec paillage pour prévenir l'érosion.

Ce qu'il vous faut?

Quels matériaux?	Quels outils?
• Membrane avec paillage • Arbustes à racines nues ou en petit contenant	• Pioche • Pelle • Râteau • Balai • Coupe-bordure • Petite masse • Piquets de bois • Mètre à ruban

Quel équipement?
• Brouette • Motoculteur

Trucs et conseils

Pour faciliter la reprise, vous pouvez pruiner les racines. Cette technique consiste à mélanger de la terre et du compost bien décomposé avec de l'eau pour former une boue épaisse, la pruine. Après la taille, plongez les racines dans cette pruine qui colle à celles-ci, ce qui forme une épaisse protection humide.

⬙

Avant le pruinage, il est essentiel de tailler les racines. Cette opération a trois buts. Le premier est de supprimer les racines brisées ou abîmées par l'arrachage. Des racines dans un tel état sont souvent une porte d'entrée pour les insectes et les maladies. Le deuxième but est de réduire la longueur des racines pour faciliter la plantation. Il ne faut cependant pas trop les réduire car on risque de mettre en péril la reprise. Ces deux opérations ont pour conséquence que les racines taillées émettent plus facilement de nouvelles radicelles, ce qui facilite la reprise.

⬙

La mise en terre d'arbustes à racines nues pour la renaturalisation se fait, la plupart du temps, dans des conditions difficiles. Il est donc important de réduire, par la taille, le nombre des branches et, par conséquent, le volume des feuilles. La taille à la plantation a aussi pour but d'équilibrer le volume des racines et celui des feuilles. Une plante portant de nombreuses feuilles qui sont alimentées par un petit nombre de racines, risque de dépérir rapidement après la plantation.

⬙

Dans le cas d'arbuste à racines nues pour la renaturalisation, une technique, employée pour la plantation en milieu difficile, peut être utilisée. Cette méthode consiste à remplir partiellement d'eau le trou de plantation. Il s'y crée alors une boue qui est bénéfique pour la reprise.

⬙

Le transport des plantes à racines nues doit être entouré de précautions. Les racines doivent être constamment maintenues humides et elles doivent être exposées le moins longtemps possible au soleil et au vent. En effet, des racines exposées au soleil ou au vent quelques heures seulement meurent rapidement. Un tissu humide autour des racines évite ce problème.

⬙

Plantation de plantes vivaces ou de fleurs annuelles

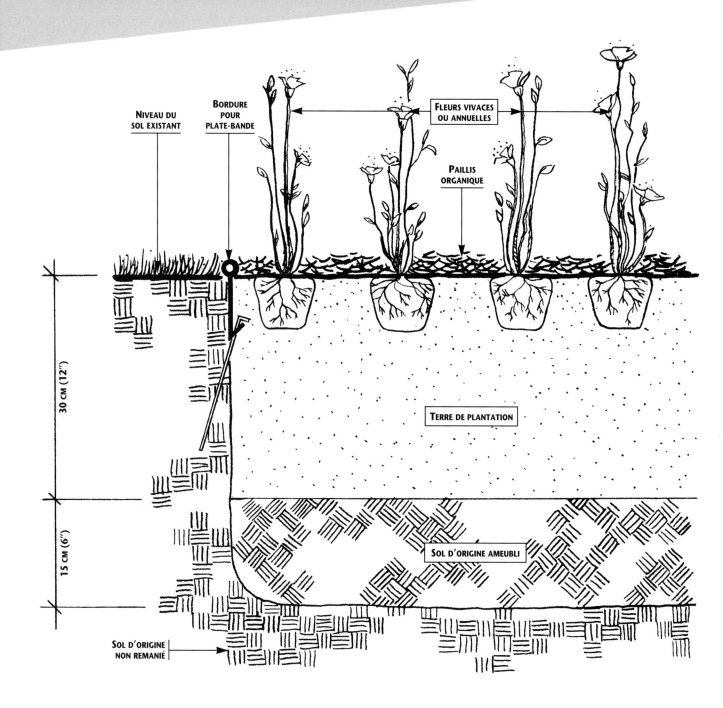

NIVEAU DU
SOL EXISTANT

BORDURE
POUR
PLATE-BANDE

FLEURS VIVACES
OU ANNUELLES

PAILLIS
ORGANIQUE

TERRE DE PLANTATION

SOL D'ORIGINE AMEUBLI

30 CM (12")

15 CM (6")

SOL D'ORIGINE
NON REMANIÉ

DÉTAIL DE PLANTATION

Comment faire?

Plantation d'une nouvelle plate-bande de vivaces ou d'annuelles

1. Avec des piquets, indiquez l'emplacement de la plate-bande qui recevra les vivaces ou les annuelles.

2. Si nécessaire, enlevez le gazon. Excavez sur 30 cm (12") de profondeur.

3. Ameublissez le sol au fond du trou sur 15 cm (6").

4. Préparez la terre de plantation en mélangeant $\frac{1}{3}$ de terre existante avec $\frac{1}{3}$ de terre de culture, $\frac{1}{6}$ de compost et $\frac{1}{6}$ de tourbe de sphaigne.

5. Installez une bordure pour plate-bande, si désiré (voir la rubrique «Bordure pour plate-bande»).

6. Remplissez la plate-bande avec la terre de plantation.

7. Enlevez les pots, ou les boîtes, et plantez les vivaces ou les annuelles dans la plate-bande à la distance voulue. Tassez la terre autour des mottes, mais sans excès.

8. Arrosez une première fois. Laissez l'eau pénétrer dans le sol et recommencez une seconde fois.

9. Arrosez avec de l'engrais transplanteur en respectant les doses prescrites.

10. Installez le paillis organique.

11. Faites les réparations de gazon autour de la plate-bande.

Pour une plantation d'annuelles dans une plate-bande existante

1. Ameublissez le sol de la plate-bande après avoir apporté du compost et de la tourbe de sphaigne (au besoin de la terre de culture).

2. Réalisez les travaux décrits à partir de l'étape 7 de la section «Plantation d'une nouvelle plate-bande de vivaces ou d'annuelles».

Ce qu'il vous faut?

Quels matériaux?

- Compost bien décomposé
- Tourbe de sphaigne
- Engrais transplanteur
- Terre de culture
- Paillis organique
- Bordure pour plate-bande
- Fleurs vivaces ou annuelles

Quels outils?

- Pioche
- Pelle
- Râteau
- Balai
- Coupe-bordure
- Petite masse
- Piquets de bois
- Mètre à ruban

Quel équipement?

- Brouette
- Motoculteur

Trucs et conseils

Un des grands problèmes auxquels doit faire face le jardinier, c'est celui de plantations trop denses. Au moment de la plantation, assurez-vous de respecter les distances de plantation indiquées sur l'étiquette. Il est parfois difficile de croire qu'une plante vendue dans un pot de 10 cm (4") ou dans une caissette atteindra les dimensions indiquées sur l'étiquette. Même si cela peut prendre, dans le cas des plantes vivaces, un an ou deux avant d'arriver, la plante finit, dans la plupart des cas, par atteindre les dimensions prévues. Si les plantes ont été plantées trop serrées, c'est toute la composition qui risque d'être ratée.

La plupart des plantes vivaces, mais aussi bien des annuelles, ont des besoins spécifiques en eau. Pour éviter que des plantes reçoivent trop d'eau et d'autres pas assez, regroupez les plantes par leurs besoins spécifiques. Regroupez les plantes qui demandent un sol sec dans un endroit plutôt sec de votre jardin, et celles qui demandent un sol humide dans un endroit constamment humide.

Au moment de la plantation, et dans la mesure du possible, il faut éviter de trop compacter la terre des plates-bandes. Si celles-ci sont de bonne largeur, utilisez des planches surélevées à l'aide de supports (briques, caisse de bois, etc.). En utilisant une planche assez large ou deux planches clouées ensemble, il est possible de travailler à l'aise sans devoir marcher sur la plate-bande.

Plantation de bulbes

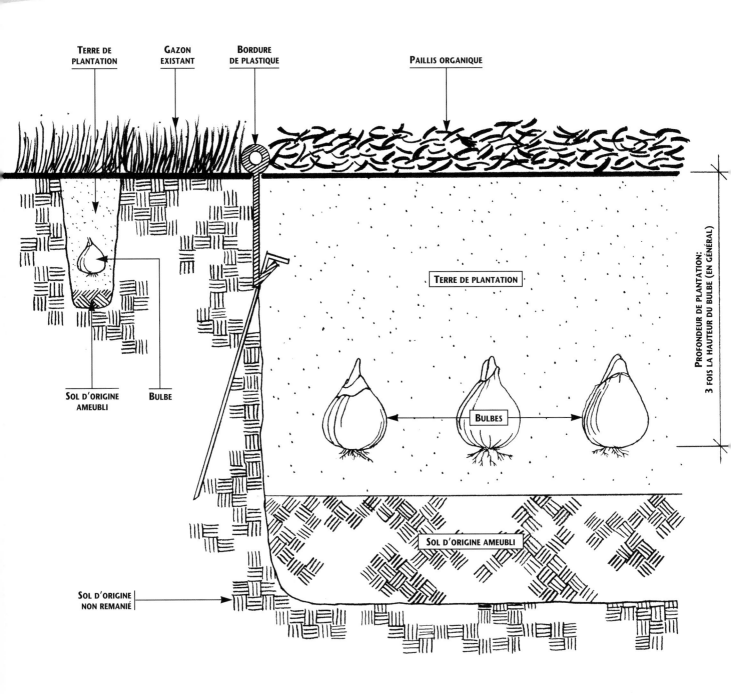

TERRE DE PLANTATION

GAZON EXISTANT

BORDURE DE PLASTIQUE

PAILLIS ORGANIQUE

TERRE DE PLANTATION

PROFONDEUR DE PLANTATION: 3 FOIS LA HAUTEUR DU BULBE (EN GÉNÉRAL)

BULBES

SOL D'ORIGINE AMEUBLI

BULBE

SOL D'ORIGINE AMEUBLI

SOL D'ORIGINE NON REMANIÉ

DÉTAIL DE PLANTATION

Comment faire?

Plantation de bulbes dans une nouvelle plate-bande

1. Avec des piquets, indiquez l'emplacement de la plate-bande qui recevra les bulbes.

2. Si nécessaire, enlevez le gazon. Excavez sur une profondeur égale à trois fois et demie la hauteur du bulbe.

3. Ameublissez le sol au fond du trou sur 15 cm (6").

4. Préparez la terre de plantation en mélangeant $1/3$ de terre existante avec $1/3$ de terre de culture, $1/6$ de compost et $1/6$ de tourbe de sphaigne. Ajoutez-y de la farine d'os moulu.

5. Installez une bordure pour plate-bande, si désiré (voir la rubrique «Bordure pour plate-bande»).

6. Remplissez la plate-bande sur 2,5 cm (1") avec la terre de plantation.

7. Placez les bulbes dans le bons sens, en respectant les distances de plantation.

8. Remplissez la plate-bande avec la terre de plantation en prenant soin de ne pas déplacer les bulbes. Tassez la terre autour des bulbes, mais sans excès.

9. Arrosez une première fois, laissez l'eau pénétrer dans le sol et recommencez une seconde fois.

10. Arrosez avec de l'engrais transplanteur en respectant les doses prescrites.

11. Installez le paillis organique.

12. Faites les réparations de gazon autour de la plate-bande.

Pour une plantation de bulbes dans une plate-bande existante

1. Ameublissez le sol de la plate-bande après avoir apporté du compost, de la tourbe de sphaigne et de l'os moulu.

2. À l'aide d'un plantoir à bulbes, faites des trous de plantation, à la bonne distance, aussi profonds que trois fois la hauteur du bulbe.

3. Placez le bulbe dans le bon sens.

4. Replacez la terre. Tassez la terre, mais sans excès.

5. Arrosez une première fois, laissez l'eau pénétrer dans le sol et recommencez une seconde fois.

6. Arrosez avec de l'engrais transplanteur en respectant les doses prescrites.

7. Installez le paillis organique.

8. Faites les réparations de gazon autour de la plate-bande.

Pour une plantation de bulbes dans un gazon existant

1. À l'aide d'un plantoir à bulbes, faites des trous de plantation, à la bonne distance, aussi profonds que trois fois la hauteur du bulbe.

2. Déposez de la farine d'os moulu dans le fond du trou et mélangez-la à la terre.

3. Placez le bulbe dans le bon sens.

4. Recouvrez le bulbe de terre de culture. Tassez la terre, mais sans excès.

5. Arrosez une première fois, puis avec de l'engrais transplanteur en respectant les doses prescrites.

Ce qu'il vous faut?

Quels matériaux?

- Bulbes
- Terre de culture
- Compost bien décomposé
- Tourbe de sphaigne
- Farine d'os moulu
- Engrais transplanteur
- Paillis organique
- Bordure de plate-bande (facultatif)

Quels outils?

- Pioche
- Pelle
- Râteau
- Balai
- Petite masse
- Piquets de bois
- Coupe-bordure
- Plantoir à bulbe
- Mètre à ruban

Quel équipement?

- Brouette
- Motoculteur

Plantation d'un rosier

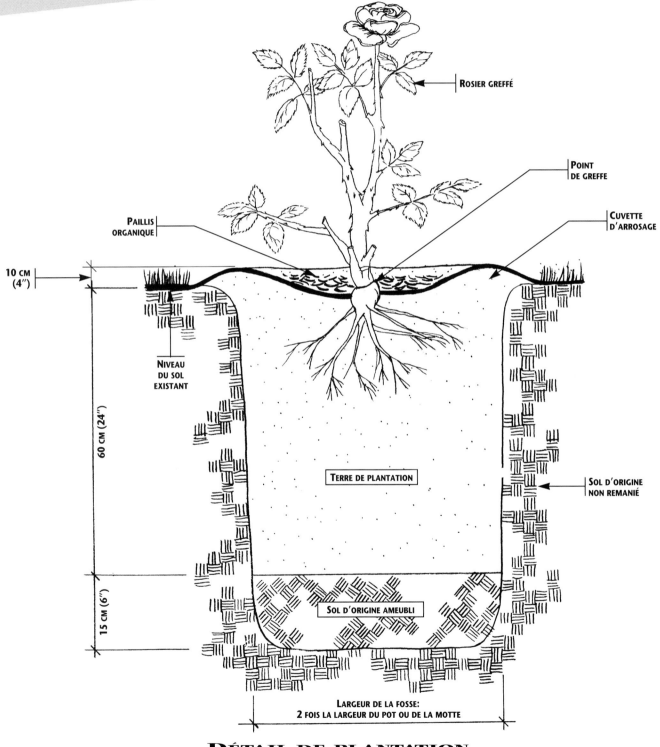

ROSIER GREFFÉ

POINT
DE GREFFE

CUVETTE
D'ARROSAGE

PAILLIS
ORGANIQUE

10 CM
(4")

NIVEAU
DU SOL
EXISTANT

60 CM (24")

TERRE DE PLANTATION

SOL D'ORIGINE
NON REMANIÉ

15 CM (6")

SOL D'ORIGINE AMEUBLI

LARGEUR DE LA FOSSE:
2 FOIS LA LARGEUR DU POT OU DE LA MOTTE

DÉTAIL DE PLANTATION

Comment faire ?

1. Avec des piquets, indiquez l'emplacement de la plate-bande qui recevra les rosiers.

2. Si nécessaire, enlevez le gazon. Creusez un trou égal à deux fois la largeur des mottes et de 60 cm (24") de profondeur.

3. Ameublissez le sol au fond du trou sur 15 cm (6").

4. Préparez la terre de plantation en mélangeant $1/3$ de terre existante avec $1/3$ de terre de culture et $1/3$ de compost.

5. Mettez dans le trou de la terre de plantation de manière à ce qu'au moment de la mise en place des racines, ou de la motte, le point de greffe arrive légèrement au-dessus du niveau du sol existant.

6. Enlevez les pots, si nécessaire.

7. Placez les plantes dans le trou de plantation.

8. Remplissez le trou avec la terre de plantation. Au fur et à mesure du remplissage, tassez la terre autour des mottes ou des racines. Tassez vigoureusement, mais sans excès.

9. Une fois le niveau existant du sol atteint, à l'aide de la terre de plantation, formez, pour chaque plante, une cuvette d'arrosage. Les limites de celle-ci ne doivent pas excéder les dimensions de la motte. Le point de greffe doit alors être à moitié sorti.

10. Arrosez en remplissant la cuvette. Laissez l'eau s'écouler et recommencez une seconde fois.

11. Arrosez avec de l'engrais transplanteur en respectant les doses prescrites.

12. Installez le paillis organique dans la cuvette.

13. Faites les réparations de gazon autour de la plate-bande.

Ce qu'il vous faut ?

Quels matériaux ?	Quels outils ?	Quel équipement ?
• Terre de culture	• Pioche	• Brouette
• Compost bien décomposé	• Pelle	
• Tourbe de sphaigne	• Râteau	
• Engrais transplanteur	• Balai	
• Paillis organique	• Coupe-bordure	
• Rosier greffé	• Petite masse	
	• Piquets de bois	
	• Mètre à ruban	

Plantation d'une haie de cèdres en quinconce

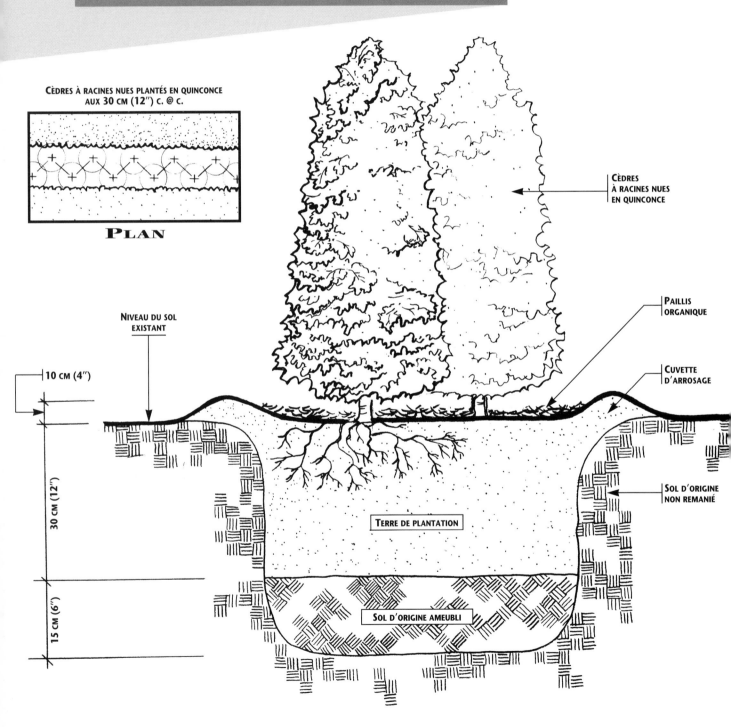

CÈDRES À RACINES NUES PLANTÉS EN QUINCONCE
AUX 30 CM (12") C. @ C.

PLAN

CÈDRES
À RACINES NUES
EN QUINCONCE

PAILLIS
ORGANIQUE

CUVETTE
D'ARROSAGE

NIVEAU DU SOL
EXISTANT

10 CM (4")

SOL D'ORIGINE
NON REMANIÉ

30 CM (12")

TERRE DE PLANTATION

15 CM (6")

SOL D'ORIGINE AMEUBLI

DÉTAIL DE PLANTATION

Comment faire ?

1. Avec des piquets et des cordes, indiquez l'emplacement de la haie en identifiant les deux côtés.

2. Si nécessaire, enlevez le gazon. Creusez une tranchée pouvant recevoir deux plantes de front et ayant 30 cm (12") de profondeur.

3. Ameublissez le sol au fond du trou sur 15 cm (6").

4. Préparez la terre de plantation en mélangeant $^1/_3$ de terre existante avec $^1/_3$ de terre de culture, $^1/_6$ de compost et $^1/_6$ de tourbe de sphaigne.

5. Mettez dans le trou de la terre de plantation de manière à ce qu'au moment de la mise en place des racines, leur point de rencontre avec le tronc arrive au niveau du sol existant.

6. Placez un premier cèdre dans la tranchée.

7. Remplissez le trou autour des racines avec la terre de plantation. Tassez vigoureusement, mais sans excès.

8. Placez, en quinconce, à 30 cm (12"), un deuxième cèdre dans la tranchée.

9. Remplissez le trou autour des racines avec la terre de plantation. Tassez vigoureusement, mais sans excès.

10. Placez un autre cèdre et procédez ainsi jusqu'à ce que vous ayez planté toute la haie. Guidez-vous à l'aide des cordes placées de chaque côté pour obtenir une haie droite.

11. Ensuite, à l'aide de la terre de plantation, formez une cuvette d'arrosage. Les limites de celle-ci ne doivent pas excéder les dimensions des mottes.

12. Arrosez en remplissant la cuvette. Laissez l'eau s'écouler et recommencez une seconde fois.

13. Arrosez avec de l'engrais transplanteur en respectant les doses prescrites.

14. Installez le paillis organique dans la cuvette.

15. Faites les réparations de gazon ou les autres plantations, si désiré.

Ce qu'il vous faut ?

Quels matériaux ?	Quels outils ?	Quel équipement ?
• Compost bien décomposé • Tourbe de sphaigne • Engrais transplanteur • Terre de culture • Paillis organique • Cèdres à racines nues	• Pioche • Pelle • Râteau • Balai • Petite masse • Coupe-bordure • Piquets de bois • Corde • Mètre à ruban	• Brouette • Motoculteur

Trucs et conseils

Vous devez planter les cèdres à racines nues au printemps ou à l'automne. Privilégiez le printemps car les plantes ont alors tout le temps de bien s'enraciner avant l'hiver. Si vous choisissez l'automne, privilégiez le mois de septembre pour qu'une fois encore l'enracinement soit important.

Les conifères réagissent bien à l'application d'engrais foliaire. Toutefois, il ne faut pas trop en appliquer, notamment à la fin de l'été. En effet, une plante qui reçoit un engrais sur son feuillage après le mois de juillet continue à croître. Les jeunes pousses n'auront alors pas le temps d'aoûter. Quand les froids arriveront, elles auront tendance à geler. L'application d'engrais n'aura donc servi à rien.

La taille des haies de cèdres peut être faite du printemps à la mi-août. Il faut cependant éviter les périodes de grande chaleur où les coupes auront tendance à sécher au lieu de cicatriser. Il est conseillé d'arrêter la taille à la mi-août pour que les plantes aient le temps de s'endurcir avant l'hiver.

Les cèdres sont des plantes qui affectionnent l'eau. Cela est particulièrement vrai au moment de la transplantation. Il est donc fortement conseillé de placer un tuyau perforé, ou suintant, au pied de la haie. Ce système permet de maintenir le sol humide en tout temps.

Paillis organique

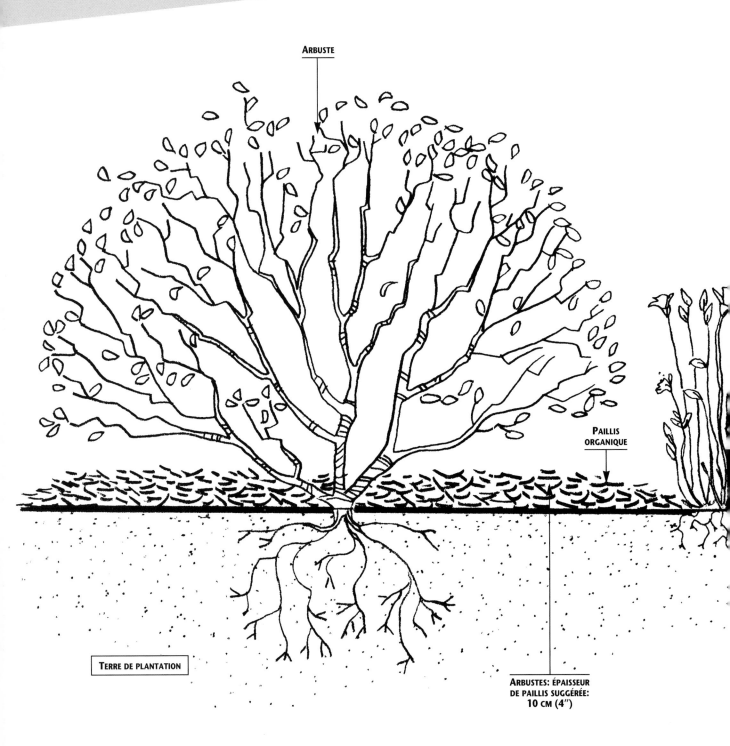

ARBUSTE

PAILLIS ORGANIQUE

TERRE DE PLANTATION

ARBUSTES: ÉPAISSEUR DE PAILLIS SUGGÉRÉE: 10 CM (4")

DÉTAIL D'INSTALLATION

Comment faire?

1. Après avoir mis en place les plantations et les bordures, étendez, directement sur le sol, une couche de paillis. Dans le cas de plantation d'arbustes, l'épaisseur suggérée est de 10 cm (4"). Pour ce qui est des vivaces, des annuelles et des bulbes, l'épaisseur suggérée est de 5 cm (2").

2. Nettoyez le chantier une fois le paillis organique installé.

Ce qu'il vous faut?

Quel matériau ?	Quels outils ?	Quel équipement ?
• Paillis organique	• Râteau • Râteau à feuilles • Mètre à ruban	• Brouette

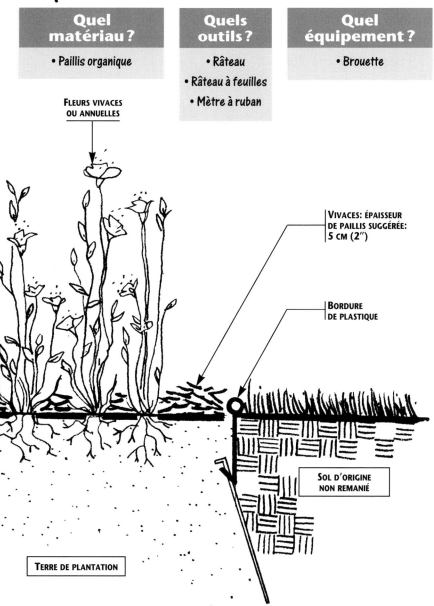

FLEURS VIVACES OU ANNUELLES

VIVACES: ÉPAISSEUR DE PAILLIS SUGGÉRÉE: 5 CM (2")

BORDURE DE PLASTIQUE

SOL D'ORIGINE NON REMANIÉ

TERRE DE PLANTATION

Trucs et conseils

Contrairement à ce que plusieurs préconisent, l'installation de paillis organique ne requiert pas de toile. En fait, pour qu'un paillis organique remplisse pleinement son rôle, il ne faut pas installer de toile. En effet, le principe qui prévaut ici, c'est que le produit utilisé se dégrade (plus ou moins vite selon les cas) apportant ainsi des fertilisants au sol.

Les paillis organiques ont des rôles multiples. Ils évitent l'érosion, conservent l'humidité au sol, diminuent la croissance des mauvaises herbes et apportent, par leur dégradation, de la matière organique au sol.

Il est tout à fait normal d'ajouter du paillis organique tous les ans dans les plates-bandes. En effet, contrairement aux paillis minéraux qui sont stables, les paillis organiques disparaissent peu à peu.

Les paillis organiques sont nombreux. On peut les regrouper en différentes catégories:
• **les paillis organiques gratuits:**
rognures de gazon, compost maison peu décomposé, feuilles broyées, foin vert, feuillage de fougères.
• **les paillis organiques peu dispendieux:**
bois raméal fragmenté (BRF), sciure de bois, paille.
• **les paillis organiques commerciaux:**
écales de sarrasin, mini-écorce de pin de l'Ouest, tourbe de sphaigne, compost forestier, compost, écales de cacao, écorce de conifère (écorce de pin, de cèdre rouge, etc.), paillis d'écorce de conifère (paillis de cèdre, de pruche, etc.).

Refaire, ou modifier, une plate-bande recouverte de paillis organique est très facile. En effet, il vous suffit d'enlever le paillis, d'arracher les plantes, de travailler le sol, au besoin de diviser les plantes vivaces, et de replanter le tout. Au paillis existant vous devez alors ajouter du nouveau paillis organique.

Finition de plate-bande en pierre décorative

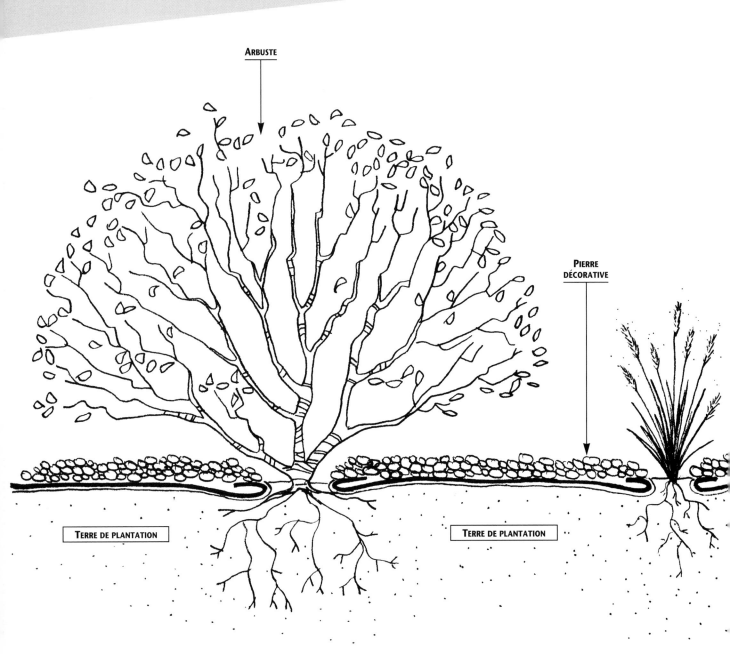

ARBUSTE

PIERRE DÉCORATIVE

TERRE DE PLANTATION

TERRE DE PLANTATION

DÉTAIL D'INSTALLATION

Comment faire?

1. Après avoir mis en place les plantations et les bordures, étendez, sur le sol, la membrane géotextile. Prenez soin de découper celle-ci autour des plantes pour laisser une partie en terre. Les joints des membranes devraient se superposer sur 30 cm (12") minimum.

2. Étendez la pierre décorative en ayant soin de ne pas briser les plantes. Laissez, autour des plantes, une couronne libre de pierre décorative, notamment pour les vivaces, pour que celles-ci puissent s'étaler. L'épaisseur suggérée varie de 5 à 10 cm (2 à 4").

3. Nettoyez le chantier une fois la pierre décorative installée.

Ce qu'il vous faut?

Quels matériaux?	Quels outils?	Quel équipement?
• Pierre décorative • Membrane géotextile	• Râteau à feuilles • Râteau • Ciseaux • Mètre à ruban	• Brouette

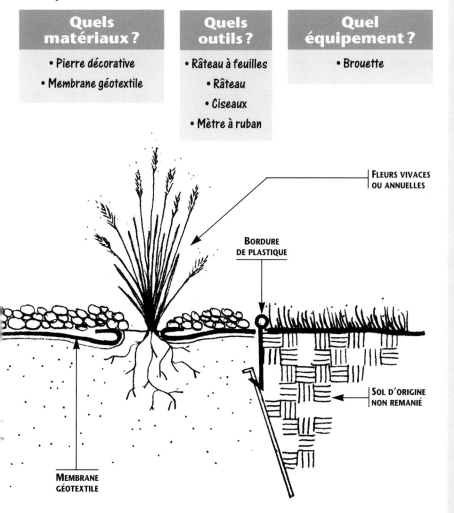

FLEURS VIVACES OU ANNUELLES

BORDURE DE PLASTIQUE

SOL D'ORIGINE NON REMANIÉ

MEMBRANE GÉOTEXTILE

Gazon en plaques sur terrain plat

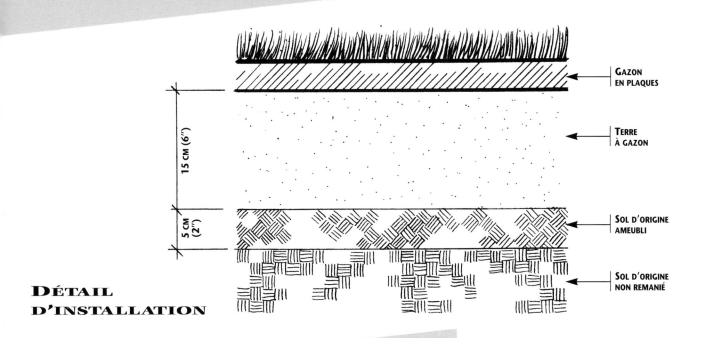

GAZON EN PLAQUES

TERRE À GAZON

SOL D'ORIGINE AMEUBLI

SOL D'ORIGINE NON REMANIÉ

15 CM (6")

5 CM (2")

DÉTAIL D'INSTALLATION

Gazon en plaques sur un terrain en pente

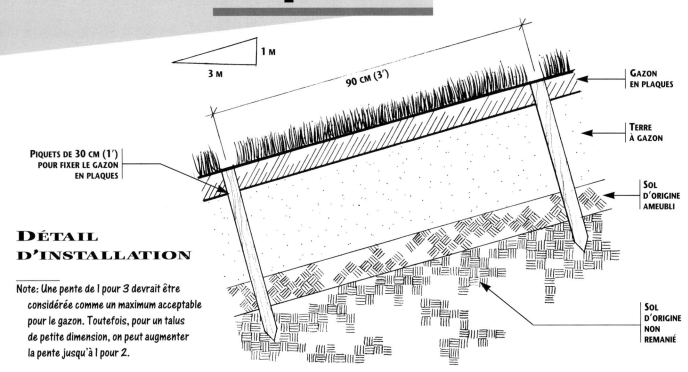

1 M

3 M

90 CM (3')

PIQUETS DE 30 CM (1') POUR FIXER LE GAZON EN PLAQUES

GAZON EN PLAQUES

TERRE À GAZON

SOL D'ORIGINE AMEUBLI

SOL D'ORIGINE NON REMANIÉ

DÉTAIL D'INSTALLATION

Note: Une pente de 1 pour 3 devrait être considérée comme un maximum acceptable pour le gazon. Toutefois, pour un talus de petite dimension, on peut augmenter la pente jusqu'à 1 pour 2.

Comment faire?

Gazon en plaques sur terrain plat

1. Après avoir apporté de la terre à gazon, nivelez celle-ci pour obtenir le niveau le plus parfait possible. Vous pouvez vous aider en plaçant des cordes au niveau final souhaité.

2. Étendez un engrais de type gazonneur et incorporez-le au sol par un ratissage.

3. Avec un rouleau à gazon, roulez la terre.

4. Corrigez le niveau de terre là où le roulage a créé des dépressions, ou aux endroits où il semble y avoir une butte. Pratiquez un nouveau roulage.

5. Posez le gazon en plaques en ayant soin de bien serrer les joints entre les plaques. Commencez au fond du jardin en revenant vers le devant.

6. Au fur et à mesure, découpez les plaques de gazon le long des plates-bandes ou des plantations.

7. Roulez le gazon dans un sens puis dans l'autre.

8. Arrosez abondamment de manière à ce que le gazon soit inondé.

Gazon en plaques sur un terrain en pente

1. Apportez de la terre à gazon et créez, si nécessaire, une pente ayant un rapport de un pour trois. Nivelez le sol pour obtenir la pente la plus parfaite possible. Vous pouvez vous aider en plaçant des cordes au niveau final souhaité.

2. Étendez un engrais de type gazonneur et incorporez-le au sol par un ratissage.

3. Avec un rouleau à gazon, roulez la terre.

4. Corrigez la pente là où le roulage a créé des dépressions, ou là où il semble y avoir une butte. Pratiquez un nouveau roulage.

5. Posez le gazon en plaques en ayant soin de bien serrer les joints entre les plaques. Tous les 90 cm (3'), placez des piquets. Assurez-vous que les piquets sont bien ancrés. Commencez par le bas de la pente en vous servant de la plaque la plus basse pour retenir la plaque du dessus.

6. Au fur et à mesure, découpez les plaques de gazon le long des plates-bandes ou des plantations.

7. Roulez le gazon dans le sens de la pente, puis sur la longueur de celle-ci.

8. Arrosez en petite quantité, mais plusieurs fois, pour vous assurer que le gazon est bien humide.

Ce qu'il vous faut?

Quels matériaux?	Quels outils?	Quel équipement?
• Terre à gazon • Engrais • Gazon en plaques • Piquets de 30 cm (12") (pour les pentes)	• Pelle • Râteau • Corde à niveau • Niveau de ligne • Marteau • Petite masse • Coupe-bordure • Couteau • Piquets de bois • Mètre à ruban	• Excavatrice ou mini-excavatrice, et camion pour les travaux de grande envergure. • Rouleau • Brouette

Trucs et conseils

Une pente ayant un rapport de un sur trois indique que si vous avez une dénivelée de 30 cm (12") de haut, la base du talus (et non sa pente) a 90 cm (36") de profondeur. Avec un rapport de un pour deux, la dénivelée a 30 cm (12") de haut et la base du talus a 60 cm (24") de profondeur.

La qualité de la terre qui reçoit les plaques de gazon est primordiale. En effet, si on utilise une terre trop sablonneuse, ce qui est souvent le cas, le gazon a tendance à sécher rapidement au moment d'une canicule. Par contre, si on utilise une terre à gazon contenant à la fois de la terre brune et de la terre noire, le gazon résiste mieux. Aussi, un gazon implanté sur une terre de bonne qualité risque moins d'être infesté par des insectes et des maladies. Il requiert alors moins d'entretien.

Durant les premières semaines, la qualité de l'arrosage est primordiale. En fait, après la pose, arrosez le nouveau gazon de manière à ce que les 10 premiers centimètres de sol soient bien humides. Cette humidité doit être maintenue le plus longtemps possible.

Pour découper deux plaques de gazon qui se chevauchent, il vous suffit de mettre les deux plaques l'une sur l'autre et, avec un objet tranchant, de venir découper autour de la plaque du dessus. Par la suite, soulevez la plaque du dessus et enlevez le morceau du dessous. Il ne vous reste plus qu'à reposer le morceau du dessus dans l'espace libéré par celui du dessous.

Évitez d'avoir des joints qui sont côte à côte. Posez le gazon en respectant un motif en escalier.

Ensemencement du gazon

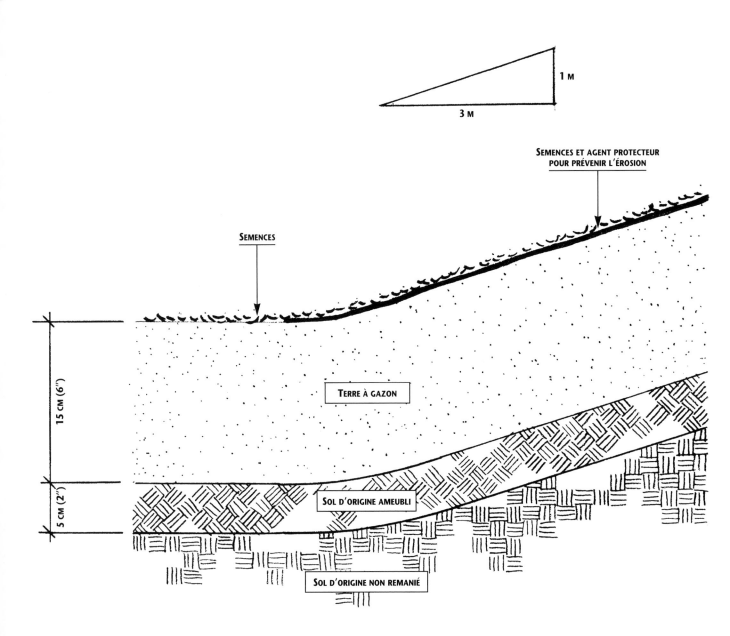

1 M

3 M

SEMENCES ET AGENT PROTECTEUR
POUR PRÉVENIR L'ÉROSION

SEMENCES

TERRE À GAZON

15 CM (6")

SOL D'ORIGINE AMEUBLI

5 CM (2")

SOL D'ORIGINE NON REMANIÉ

DÉTAIL D'INSTALLATION

Comment faire ?

1. Après avoir apporté de la terre à gazon, nivelez celle-ci pour obtenir le niveau le plus parfait possible. Vous pouvez vous aider en tirant des cordes au niveau final souhaité. Dans le cas d'une dénivellation, créez une pente ayant un rapport de un pour trois. Nivelez le sol pour obtenir la pente la plus parfaite possible.

2. Étendez un engrais de type gazonneur et incorporez-le au sol par un ratissage.

3. Préparez un lit de semis où la terre est la plus fine possible. Pour vous aider, vous pouvez utiliser un motoculteur.

4. À la main, ou à l'aide d'un épandeur à engrais, semez les graines à gazon appropriées.

5. Avec une terre tamisée, recouvrez les semences.

6. Passez le rouleau sur le sol dans un sens puis dans l'autre.

7. Arrosez en fine pluie de manière à ce que la terre soit bien humide.

8. Assurez-vous que la terre reste bien humide jusqu'à ce que le gazon lève. Par la suite, voyez à ce que le nouveau gazon ne manque pas d'eau.

Ce qu'il vous faut ?

Quels matériaux ?	Quels outils ?	Quel équipement ?
• Semences • Semences et agent protecteur pour prévenir l'érosion • Terre à gazon	• Pelle • Râteau • Râteau à feuilles • Corde à niveau • Niveau de ligne • Marteau	• Excavatrice ou mini-excavatrice, et camion pour les travaux de grande envergure • Motoculteur • Épandeur à engrais • Rouleau

Trucs et conseils

Pour vous assurer d'une bonne réussite, choisissez des semences de première qualité. À ce titre, les semences certifiées ont un taux de germination et de propreté garanti. Elles coûtent un peu plus cher, mais elles vous évitent d'avoir à recommencer le travail.

Si vous n'êtes pas sûr de la qualité de vos semences, faites un test de semis dans un petit coin de votre jardin. Si toutes les semences germent régulièrement, elles sont de bonne qualité. Par contre, si la germination est irrégulière, procurez-vous de nouvelles graines.

Depuis quelques années, il est possible de préparer ses propres mélanges à gazon. En effet, plusieurs marchands spécialisés offrent des semences à gazon en variétés séparées. Vous pouvez alors concevoir votre propre mélange, souvent mieux adapté aux conditions environnementales de votre terrain que les mélanges tout usage.

Si vous devez ensemencer un grand terrain ayant une forte pente, faites appel à un spécialiste de l'hydroensemencement. À l'aide d'une machine conçue spécialement, il projettera un mélange à base de semences, de paille ou d'un agent protecteur qui prévient l'érosion. Cette technique, développée pour les talus d'autoroutes et les grands espaces difficiles d'accès, est maintenant offerte par plusieurs entrepreneurs pour l'aménagement de terrains privés.

Lexique

Ancrage: pièce de métal galvanisé à chaud, en forme de U, qui reçoit le bas d'un poteau. Cette pièce se prolonge par des tiges de métal qui plongent profondément dans le pilier de béton.

Bande de canevas: bande de papier gaufré qui sert à protéger le tronc des arbres du soleil et du vent.

Bloc double préfabriqué en béton: bloc de béton, de deux fois la largeur d'un bloc préfabriqué en béton servant à la fondation des murets.

Bloc préfabriqué en béton: bloc de béton pouvant être de différentes épaisseurs et servant à construire des murets.

Bordure de plastique pour pavés de béton: bande ayant la forme d'un angle droit, généralement en plastique plus ou moins rigide, faite pour retenir les pavés de béton.

Bordure pour plate-bande: bande plate, généralement en plastique plus ou moins rigide, posée à la verticale dans le sol pour séparer le gazon des plantations.

Ciseau à froid: outil en acier dont l'une des extrémités est tranchante. Les ciseaux à froid utilisés pour tailler les pierres ont généralement leur tranchant recouvert d'un matériau très dur (pointe au carbure).

Collier en tuyau de caoutchouc: morceau de tuyau d'arrosage dont on se sert pour protéger le tronc des fils de fer galvanisé servant de haubans.

Compost: engrais formé par la décomposition de matières organiques et minérales.

Corde de ligne: corde fine qui peut recevoir un niveau de corde.

Creuse-trou: outil à main comprenant deux pelles incurvées. L'une d'elles reste fixe une fois mise en place, alors que l'autre, à l'aide d'un levier, vient ramasser la terre qui se trouve au fond du trou.

Cuvette d'arrosage: cuvette formée avec de la terre autour du tronc des plantes lors de la plantation. Cette cuvette permet de retenir l'eau d'arrosage au cours de la première année.

Diable: chariot à deux roues permettant de transporter des choses lourdes ou volumineuses.

Engrais transplanteur: engrais dont la formule est spécialement conçue pour favoriser l'émission de nouvelles racines après une plantation.

Épandeur à engrais: petite machine à deux roues munie d'un réservoir et d'une hélice qui projette l'engrais, ou tout autre matériau, uniformément sur le terrain.

Équerre de métal: pièce de métal, formée à angle droit, servant à retenir deux pièces de bois ensemble.

Fondation: travaux d'infrastructure ayant pour but d'assurer la stabilité d'une construction.

Galet de rivière: pierre, généralement ronde, prélevée dans le lit des rivières.

Garde-fou: balustrade placée sur le bord d'une terrasse ou d'un escalier pour empêcher que les personnes ne tombent.

Gazon en plaques: morceau, généralement rectangulaire, de gazon prélevé avec sa terre. Appelé faussement tourbe.

Hauban: câble métallique servant à maintenir droit et en place un arbre.

Limon: pièce de bois taillée de façon à recevoir les marches et les contremarches.

Lit de pose: mince couche de sable, ou de poussière de pierre, servant à mettre de niveau les matériaux de finition (pierre naturelle, pavé, etc.).

Matériau granulaire: pierres, généralement de très petite dimension, servant à la finition des aires de circulation.

Membrane géotextile: toile en textile perméable fait de fibres synthétiques stables servant à séparer, filtrer et stabiliser les infrastructures.

Niveau à bulle: instrument comprenant un cadre de métal qui reçoit des bulles d'air emprisonnées dans de petits tubes, et qui sert à donner l'horizontale ou la verticale.

Niveau de corde: petit instrument fait d'un support et d'un tube renfermant une bulle d'air et pouvant être accroché sur une corde de ligne pour vérifier l'horizontalité de celle-ci.

Pierre à rocaille: roche plus ou moins ronde, de différentes grosseurs et textures, plus ou moins recouverte de mousse, servant à la construction des rocailles.

Pierre concassée 0-20 mm (0-3/4") Ø: roche broyée, exempte de terre et comportant des particules comprises entre 0 et 20 mm de diamètre.

Pierre décorative: pierre prélevée dans la nature, ou concassée, suffisamment belle pour servir de finition dans une construction ou avec des plantations.

Pierre naturelle: roche plate, provenant de carrières, de différentes couleurs et épaisseurs, servant à construire des circulations (sentiers, pas japonais, etc.), des murets ou des escaliers.

Pierre nette 12 mm (1/2") Ø: roche broyée, exempte de terre, comportant des particules de plus ou moins 12 mm de diamètre uniquement.

Pierre nette 20 mm (3/4") Ø: roche broyée, exempte de terre, comportant des particules de plus ou moins 20 mm de diamètre uniquement.

Pilonneuse (jumping jack): appareil comportant une petite plaque de métal surmontée d'un moteur qui fait sauter celle-ci. L'utilisation de la pilonneuse est réservée aux endroits exigus, comme les tranchées par exemple.

Plaque vibrante: appareil comportant une plaque de métal surmontée d'un moteur qui fait vibrer celle-ci. Les vibrations de la plaque entraînent la compaction des matériaux qui se trouvent en dessous.

Point de greffe: endroit où le plant mère a reçu le greffon. Après la reprise, ce point de jonction se cicatrise en formant un bourrelet.

Pompe submersible: pompe spécialement conçue pour être plongée entièrement dans l'eau. À l'opposé, la pompe sèche ne supporte pas d'être immergée.

Poteau: pièce de bois placée à la verticale pour servir de support.

Poussière de pierre: roche finement concassée permettant de mettre en place un lit de fondation ou une finition de sentier.

Poutre double: pièce de bois placée de chaque côté d'un poteau servant à recevoir les solives d'une pergola ou d'un patio.

Recouvrement: assemblage de planches servant de plancher pour un patio ou des marches.

Rouleau: cylindre de métal que l'on remplit d'eau et qui sert à tasser le sol.

Sable à béton: sable fin et siliceux servant à la mise en place d'un lit de pose ou à remplir les joints entre les pavés de béton.

Scie à béton: scie mécanique, mobile ou stationnaire, à lame circulaire servant à couper le béton.

Scie à chaîne: scie mécanique mobile munie d'une chaîne servant à couper les morceaux de bois. Aussi appelée tronçonneuse.

Semelle de béton: bloc préfabriqué en béton ayant une forme conçue pour recevoir la base d'un poteau de bois.

Semences à gazon: graines à gazon.

Sol argileux: sol ayant une teneur de 65 % et plus d'argile, ce qui lui donne une structure compacte et imperméable.

Sol sablonneux: sol ayant une teneur de 50 à 80 % de sable, ce qui lui donne une structure légère et perméable.

Solive: pièce de bois qui s'appuie sur les poutres et qui supporte le recouvrement.

Solives de rive: deux pièces de bois encadrant le tour extérieur du patio.

Sonotube: tube de carton pouvant être de différents diamètres et servant à retenir le béton au moment où on coule un pilier d'ancrage dans le sol, ou au-dessus de celui-ci.

Système de contrôle du niveau d'eau: valve munie d'un flotteur permettant de garder un niveau d'eau constant au bassin.

Tarière: outil servant à faire des forages dans le sol. Les tarières peuvent être manuelles ou mécaniques.

Tendeur en acier galvanisé: pièce d'acier servant à donner de la tension à un fil de fer. Les tendeurs sont utilisés lors du haubanage.

Terre de culture: terre faite à base de terre noire, de terre brune et de compost dans des proportions favorisant une bonne croissance.

Tige d'armature: tige de métal servant généralement à réaliser les armatures pour le béton.

Tirant: pièce de bois placée à la transversale du muret et qui subit un effort de traction. Elle a pour but d'éviter l'écroulement progressif du muret.

Toile en CPV: toile étanche en chlorure de polyvinyle servant à la construction d'un bassin.

Traverse: pièce de bois servant à maintenir ensemble, ou à consolider, des pièces de bois.

Trop-plein: dispositif servant à évacuer l'eau en surplus dans un bassin.

Tuyau de drainage: tuyau de plastique perforé permettant de capter l'eau et de la diriger vers un point d'écoulement.

Valve munie d'un flotteur: appareil laissant couler l'eau quand le flotteur est en position basse et se refermant automatiquement quand le flotteur est en position haute.

C. @ c.: abréviation signifiant centre à centre.

Ø: symbole signifiant diamètre.